W9-BZK-967

VERS UNE APPROCHE INTÉGRÉE EN IMMERSION

Roy Lyster

LES ÉDITIONS **CEC**

Association canadienne des professeurs d'immersion

acpi

9001, boul. Louis-H.-La Fontaine, Anjou (Québec) Canada H1J 2C5
Téléphone : 514-351-6010 • Télécopieur : 514-351-3534

Direction éditoriale
Emmanuelle Bruno

Direction de la production
Danielle Latendresse

Direction de la coordination
Rodolphe Courcy

Charge de projet et révision linguistique
Maryse Andraos

Correction d'épreuves
Marie Théorêt

Conception de la page couverture
Girafe & associés

Conception et réalisation graphique
Philippe Langlois

Illustrations
Serge Rousseau (pages 76, 91, 134)
Elisa David © Roy Lyster (page 107)
Yvonne Christiansen © Roy Lyster (page 112)

Les Éditions CEC inc. remercient le gouvernement du Québec de l'aide financière accordée à l'édition de cet ouvrage par l'entremise du Programme de crédit d'impôt pour l'édition de livres, administré par la SODEC.

Vers une approche intégrée en immersion
© Les Éditions CEC inc.
9001, boul. Louis-H.-La Fontaine
Anjou (Québec) H1J 2C5

Dépôt légal : 2016
Bibliothèque et Archives nationales du Québec
Bibliothèque et Archives Canada

ISBN : 978-2-7617-8901-1

Imprimé au Canada
3 4 5 6 7 23 22 21 20 19

L'éditeur tient à remercier l'ACPI pour sa collaboration tout au long du projet ainsi que le comité de lecture pour les commentaires et les suggestions judicieuses. Ce comité était formé de :

Chantal Bourbonnais, directrice générale, Association canadienne des professeurs d'immersion (ACPI)
Josée Clermont, coordonnatrice des programmes de français, Yellowknife Catholic School, Territoires du Nord-Ouest
Lesley Doell, présidente, Association canadienne des professeurs d'immersion (ACPI) et consultante de langue française, Centre de ressources de la langue française, Alberta
Kim Doucet, enseignante, Ottawa-Carleton District School Board, Ontario
Marie-Josée Morneau, conseillère pédagogique en immersion française, division scolaire Rivière Seine, Manitoba
Christine Thibaudier-Ness, spécialiste du curriculum en français et en sciences humaines, ministère de l'Éducation, du Développement préscolaire et de la Culture de l'Île-du-Prince-Édouard

L'éditeur remercie également les enseignantes et leurs élèves qui ont accepté de participer au tournage des vidéos :

France Bourassa, enseignante, Lester B. Pearson School Board, Québec
Kim Doucet, enseignante, Ottawa-Carleton District School Board, Ontario
Shannon Philippe, enseignante, division scolaire Rivière Seine, Manitoba

Crédits iconographiques

iStockphoto.com
Couverture : Fond © stellalevi, 57853804.
Loupe © RobinOlimb, 74938391. Rouages © DrAfter123, 20233836. Phylactères © 3d_kot, 66128405.
Rubriques :
Immersion en action et Glossaire © PetrStransky, 66749043.
Pictogrammes :
Loupe et œil, pages 53, 55, 67, 70, 74, 83, 93, 108, 111, 125, 138 © RobinOlimb, 74938391, GoodGnom, 36170328. Ampoule et rouages, pages 53, 56, 67, 70, 74, 84, 93, 109, 111, 126, 139 © ihorzigor, 77162577, Anthonycz 84790091. Boussole, pages 53, 57, 68, 71, 76, 85, 94, 109, 112, 127, 140 © MrsWilkins, 51005252. Phylactère, pages 53, 58, 68, 71, 76, 85, 95, 110, 113, 128, 141 © 3d_kot, 66128405.
Photos : Page 1 © EdStock, 18948381. Page 21 © Susan Chiang, 70700895. Page 51 © Steve Debenport, 82880117. Page 68 © ZU_09, 43370820. Page 140 © Songquan Deng, 41604470.

Autres sources
Photos : Couverture James Poirier © Roy Lyster.
Page 69 © Roy Lyster. Page 70 © Archives de la Société de Transport de Montréal, n° 1-897-003. Page 71 © Roy Lyster.
Page 77 © Roy Lyster. Page 111 © Alliance Vivafilm.
Page 128 © Bibliothèque et Archives Canada, n° PA-027943.
Page 129 © Musée canadien de l'histoire, n° ads-6-07b.
Page 149 Couverture *Crictor* écrit et illustré par Tomi Ungerer, 1978 © L'École des loisirs. Page 150 © Roy Lyster.
Page 150 Couverture *Les Trois Brigands*, écrit et illustré par Tomi Ungerer, 1968 © L'École des loisirs.

Crédits pour les textes
Page 93 : Excerpted from *Peux-tu attraper Joséphine ?* by Stéphane Poulin. Copyright © 2003 Stéphane Poulin. Reprinted by permission of Livres Toundra/Tundra Books, a division of Penguin Random House Canada Limited.
Page 107 : © Annette Campagne.
Page 138 : © Cet extrait a été reproduit aux termes d'une licence accordée par Copibec.

Table des matières

Un mot de la présidente de l'ACPI

Trente ans plus tard, l'article de Lyster (1987), «Speaking Immersion», résonne toujours auprès des enseignants en immersion. En 2007, son œuvre hautement respectée internationalement, *Learning and Teaching Languages Through Content: A Counterbalanced Approach*, a révolutionné les principes de base de l'enseignement en immersion en demandant si l'immersion française avait atteint son plein potentiel après 40 ans. Une question osée autant que nécessaire!

Que peut-on faire pour que nos jeunes bilingues issus de l'immersion parlent un français juste et précis? Comment pourrait-on éviter ce plateau langagier souvent reconnu par les enseignants, les locuteurs natifs et les jeunes eux-mêmes? Comment peut-on améliorer la qualité de l'enseignement en immersion grâce à la réflexion et à d'autres options éducatives?

Roy Lyster propose une approche intégrée à partir de stratégies testées en salle de classe. Grâce à cette approche, nous pourrons amener l'enseignement en immersion à un autre niveau. À l'aide de stratégies réactives et proactives, il sera possible d'intégrer l'enseignement de la langue dans toutes les matières.

Voyant l'importance du message de Lyster, l'ACPI lui a demandé de vulgariser son ouvrage pour le rendre accessible à un plus grand nombre d'enseignants en immersion. Nous sommes très fiers de vous offrir cette œuvre essentielle pour tout enseignant œuvrant en immersion. Nous vous souhaitons une bonne lecture et de bonnes discussions avec vos collègues. N'oubliez pas que tout enseignant en immersion est aussi un enseignant de langue!

Lesley Doell

Introduction

Depuis ma première expérience d'enseignement en immersion, en 1982, l'amélioration de la pédagogie immersive est devenue pour moi une véritable passion. Pendant les 30 dernières années, je me suis intéressé à trouver de nouvelles façons d'améliorer le français des élèves au cœur de ces programmes. L'approche intégrée prônée dans ce livre est le fruit de ces recherches. Elle fait contrepoids à l'écart bien attesté en immersion entre l'enseignement de la langue et celui du contenu.

Il faut d'emblée souligner que cet ouvrage n'a pas été conçu comme un livre de « recettes ». Effectuer des changements dans les pratiques d'enseignement exige des efforts soutenus et une créativité constante. Il est néanmoins prévu que, avec le temps et grâce à la collaboration entre enseignants, les efforts requis s'atténuent. À mesure que vous développerez vos propres stratégies, vous pourrez constater qu'elles portent leurs fruits chez les élèves, ce qui aura pour effet de renforcer la motivation des deux côtés.

Cette ressource pédagogique a pour but d'aider les enseignants en immersion à mieux mettre en valeur la langue française à travers l'ensemble du programme d'études. Elle vise à vous faire réfléchir sur vos pratiques, tout en vous fournissant de nombreux exemples d'application de l'approche intégrée. Ces interventions réalisées en classe sont authentiques et fidèles à la réalité de l'immersion. Elles vous serviront de modèle dans votre propre conception de stratégies.

L'ouvrage est destiné autant aux enseignants en formation qu'à ceux œuvrant déjà dans le milieu scolaire. Bien qu'il s'adresse surtout aux enseignants de l'élémentaire (de la 1re à la 8e année), j'espère qu'il aura également des échos au secondaire. Si je ne fais pas plus souvent allusion à l'école secondaire dans ce livre, c'est simplement parce qu'il manque de recherches en classe d'immersion à ce niveau.

La plupart des chapitres comportent une section « Réflexions » qui propose des situations d'interaction et des exercices sur les notions abordées dans ce livre. Vous serez ainsi appelé à vous questionner sur votre pratique actuelle et à développer de meilleurs moyens pour renforcer les compétences linguistiques de vos élèves. Au cours de votre lecture, vous pourrez également remarquer différents encadrés et rubriques :

- La rubrique « Immersion en action » résume les notions essentielles de l'approche intégrée développées au fil du livre.
- La rubrique « Glossaire » définit la terminologie utilisée.
- Les encadrés « Vidéo » dans le corps du texte renvoient aux vidéos offertes en complément de ce livre. Tournées en classe d'immersion, ces vidéos illustrent différentes stratégies de l'approche intégrée.

Finalement, chacune des trois parties de ce livre aborde un volet précis. La première partie présente la raison d'être et les fondements de l'approche intégrée. Vous y découvrirez les forces et les faiblesses des élèves en immersion, de même que la manière dont ils assimilent de nouvelles connaissances. La seconde partie couvre l'approche intégrée réactive. Celle-ci vise à faire de l'interaction en classe une source clé de l'apprentissage grâce aux techniques d'étayage, de questionnement et de rétroaction corrective. La troisième partie, qui constitue la plus grande part du livre, est consacrée à l'approche intégrée proactive et à sa séquence d'enseignement en quatre phases. Chaque chapitre de cette partie traite une problématique linguistique propre à l'apprentissage du français L2 et propose des réflexions et des exemples d'application pour y remédier.

Je tiens à remercier chaleureusement les personnes suivantes, qui ont toutes contribué à cet ouvrage d'une manière ou d'une autre : Maryse Andraos, France Bourassa, Chantal Bourbonnais, Emmanuelle Bruno, Lesley Doell, Kim Doucet, Marie Frosst, Birgit Harley, Patricia Houde, Patsy Lightbown, Marie-Josée Morneau et Shannon Philippe. Du fond de mon cœur, je remercie l'ACPI et les Éditions CEC de leur appui tout au long du projet et, surtout, je souhaite de bonnes réflexions aux lecteurs !

Roy Lyster
Université McGill, Montréal

PARTIE **1**

FONDEMENTS DE L'APPROCHE INTÉGRÉE

Cette partie explique les principes généraux et la raison d'être d'une approche pédagogique intégrant davantage la langue aux contenus disciplinaire et thématique en immersion. À partir de nombreuses recherches menées sur le terrain, elle analyse les forces et les faiblesses linguistiques des élèves en immersion ainsi que l'efficacité relative de différentes méthodes d'enseignement. La théorie de l'acquisition des compétences est ensuite abordée pour expliquer la manière dont se développe la conscience métalinguistique des apprenants. L'exploration de cette théorie débouche sur l'importance d'une pratique langagière signifiante et contextualisée.

CHAPITRE 1

Pourquoi une approche intégrée en immersion?

OBJECTIFS

- Constater les forces et les faiblesses en français des élèves en immersion

- Comprendre ce qui cause les faiblesses observées en immersion

- Comparer les techniques d'enseignement traditionnel avec celles de l'approche intégrée

1.1 ÉTAIS-JE UN MAUVAIS ENSEIGNANT?

En 1982, j'ai commencé ma première année d'enseignement en immersion française dans une école publique de la région torontoise. J'ai enseigné l'histoire, la géographie et les mathématiques en français, ainsi que le français, à des élèves de 8e année. L'idée de développer simultanément les compétences des élèves en langue seconde (L2) et leur connaissance du contenu me fascinait et me semblait plus prometteuse que d'autres pratiques pédagogiques en L2.

Toutefois, mon expérience de l'enseignement ne fut pas sans surprises ni déceptions. J'avais prévu qu'après huit ans dans le programme d'immersion, mes élèves auraient acquis un niveau de compétence supérieur en français. Cependant, force était de constater que ce mandat n'avait pas été atteint.

À cette époque, j'ai publié mon premier article intitulé « Speaking Immersion » (Lyster, 1987), titre qui me semblait bien résumer les capacités de production de mes élèves. En effet, mes élèves semblaient parler leur propre variété de français, que l'on pourrait nommer « l'immersion ». L'article se terminait par l'exemple d'un élève qui m'avait dit une fois : « Je sais toi », voulant dire tout simplement qu'il me connaissait. En le disant, il avait non seulement fait un choix lexical inapproprié pour le verbe, mais en plus, il n'avait pas respecté l'ordre des mots, employant ainsi un pronom inadéquat – et tout cela dans un énoncé de trois mots qu'une personne francophone n'aurait pu comprendre sans avoir une certaine connaissance de l'anglais. De plus en plus, je me suis intéressé à déterminer pourquoi les élèves en immersion n'étaient pas plus compétents en français et comment nous pourrions leur permettre d'atteindre en L2 les niveaux de compétence nécessaires pour traiter de sujets de plus en plus complexes.

Wesche et Skehan (2002) définissent les avantages de l'immersion et d'autres types de programmes où des matières sont enseignées en L2 par le fait que les élèves ont alors un but motivant pour apprendre la langue dans un contexte d'apprentissage plus « naturel », qui inclut des dimensions d'ordre à la fois social, pragmatique et linguistique. Mais si les conditions créées par l'enseignement fondé sur le contenu sont si idéales, pourquoi mes élèves n'avaient-ils pas atteint des niveaux plus élevés de compétence en français après avoir passé huit ans dans un programme d'immersion ? Étais-je un mauvais enseignant ?

Apparemment, mes élèves n'étaient pas les seuls et, à cet égard, des chercheurs ont confirmé plus tard l'expérience que j'avais vécue en tant qu'enseignant : les élèves en immersion française développent des niveaux élevés de **compétences discursive** et **stratégique**, mais moins élevés que prévu quant aux **compétences grammaticale** et **sociolinguistique** (Harley, Cummins, Swain et Allen, 1990). Pour comprendre les causes de cette situation, il convient d'examiner l'atteinte de ces compétences plus en détail.

GLOSSAIRE

- La **compétence discursive** est la capacité d'organiser son discours de manière cohésive et cohérente. Exemples : l'emploi de pronoms pour assurer la continuité d'un récit et de conjonctions pour établir des liens logiques.
- La **compétence stratégique** touche à l'utilisation habile de stratégies pour transmettre un message en dépit de faiblesses linguistiques. Exemples : les gestes, les circonlocutions et les mots passe-partout.
- La **compétence grammaticale** relève de la connaissance et de la maîtrise des normes linguistiques de la L2. Exemples : l'emploi des prépositions, le respect du genre grammatical et la bonne conjugaison des verbes. Cette compétence englobe aussi la justesse lexicale.
- La **compétence sociolinguistique** est la capacité à reconnaître les normes socioculturelles de la langue et à les appliquer. Exemples : le vouvoiement et le tutoiement, les registres soutenu et familier.

Ces quatre compétences font partie de la compétence communicative, qui est la capacité de bien comprendre et employer une langue.

(Canale et Swain, 1980 ; Canale, 1983.)

1.2 FORCES ET FAIBLESSES DES ÉLÈVES EN IMMERSION

Voici un portrait des forces et des faiblesses que la recherche a identifiées au cours des 30 dernières années en ce qui a trait à la compétence en français des élèves en immersion. On peut y voir les différents domaines de compétence communicative où les élèves atteignent un niveau supérieur, de même que les difficultés particulières rencontrées dans l'atteinte des compétences grammaticale, lexicale et sociolinguistique en français. Tout au long de ce livre, des pistes de solution seront offertes pour remédier à ces faiblesses tout en conservant les forces actuelles des élèves en immersion.

FORCES

Capacités de compréhension
- Les élèves en immersion développent une capacité de compréhension élevée en écoute et en lecture.
- Leur réussite scolaire dans les matières enseignées en français est équivalente à celle des élèves qui étudient les mêmes matières en anglais.

Capacités de production
- Les élèves en immersion développent des niveaux de communication et de confiance en français bien supérieurs à ceux des élèves du programme régulier.

Compétence discursive
- La performance des élèves en immersion ressemble à celle des francophones du même âge quant à la compétence discursive.
- Les similarités sont surtout évidentes dans les requêtes et les récits écrits ainsi que dans les tâches orales impliquant la répétition d'une histoire et la présentation d'arguments de persuasion dans un jeu de rôles.

Compétence stratégique
- Les élèves en immersion deviennent très habiles à utiliser des stratégies pour transmettre leur message en dépit de faiblesses linguistiques. Pour ce faire, ils emploient les gestes, les circonlocutions, les mots passe-partout ainsi que l'anglais.

(Harley, 1993 ; Harley et coll., 1990 ; Genesee, 1987 ; Swain et Lapkin, 1982 ; Turnbull et coll., 2001.)

FAIBLESSES

Compétence grammaticale
- En comparaison avec des francophones du même âge, les élèves en immersion maîtrisent moins bien les éléments grammaticaux, à l'exception des terminaisons homophones des verbes (ex. : *aimer* vs *aimé*), qui font l'objet de performances médiocres dans les deux cas.

(suite p. 5)

- Une étude à grande échelle dans les classes d'immersion a démontré que, de toutes les erreurs commises par les élèves en immersion lors de la communication orale, environ 60 % sont d'ordre grammatical (20 % sont lexicales et 20 % sont phonologiques).
- Les caractéristiques spécifiques du français qui se sont avérées problématiques – et qui seront abordées dans ce livre – incluent les **traits linguistiques** suivants :
  - les prépositions ;
  - les pronoms objets et l'ordre des mots ;
  - le genre grammatical ;
  - les temps verbaux tels que l'imparfait et le conditionnel ;
  - l'accord à la 3e personne ;
  - l'utilisation de verbes avec des cadres syntaxiques différents de l'anglais ;
  - l'utilisation de préfixes et de suffixes.

(Harley, 1979, 1980, 1986, 1992, 1998 ; Harley et King, 1989 ; Harley et coll., 1990 ; Lyster, 2007.)

Un **trait linguistique** est un élément caractéristique du français tel que le genre, le nombre, le temps, le mode, la fonction. *Trait linguistique* se traduit habituellement en anglais par *language feature*.

Compétence lexicale

- Les élèves en immersion ont tendance à employer un vocabulaire limité aux domaines exploités à l'école et à surutiliser les noms vagues (ex. : *chose*) et les verbes passe-partout (ex. : *faire*, *aller*, *prendre*, *mettre*).
- Les élèves en immersion tendent à éviter les verbes morphologiquement ou syntaxiquement complexes, tels que les verbes pronominaux (ex. : *j'ai brossé mes dents* au lieu de *je me suis brossé les dents*) et les verbes dérivés qui emploient des préfixes et des suffixes (ex. : *je l'ai fait encore* au lieu de *je l'ai refait*).
- Pour exprimer le mouvement et la direction, les élèves en immersion emploient souvent des verbes suivis de prépositions calquées sur l'anglais (ex. : *il court en bas de l'escalier* au lieu de *il descend l'escalier en courant* ; voir le chapitre 8).

(Harley, 1992 ; Rebuffot, 1993.)

Compétence sociolinguistique

- Comme ils n'ont pas suffisamment l'occasion d'utiliser un niveau de langue soutenu en classe, les élèves en immersion n'emploient pas spontanément les marqueurs de politesse tels que le *vous* singulier ou le mode conditionnel (voir les chapitres 7 et 11).
- Les élèves n'acquièrent pas non plus les expressions d'usage courant qui faciliteraient la communication lors de situations informelles avec leurs pairs.
- Comparés aux francophones, les élèves en immersion sont moins en mesure de reconnaître le langage adapté à un contexte social. Par exemple, ils ont de la difficulté à identifier la situation b) comme la seule convenant à cet énoncé : *C'est avec grand plaisir que je vous annonce qui est la gagnante du concours d'art oratoire.*

  a) Un père s'adressant à sa fille.
  b) La directrice de l'école s'adressant à tous les élèves.
  c) La directrice de l'école s'adressant à son conjoint.

(Auger, 2002 ; Harley et coll., 1990 ; Lyster, 1994 ; Mougeon et coll., 2010 ; Tarone et Swain, 1995.)

Ainsi, bien que les élèves en immersion communiquent efficacement en français comparativement aux francophones du même âge, ils n'ont pas une aussi bonne maîtrise grammaticale, lexicale et sociolinguistique de la langue. Day et Shapson (1996 : 98, traduction libre) ont cependant suggéré que « dans certains domaines de compétence communicative, nous voudrons peut-être avoir des normes différentes de celles atteintes par des locuteurs natifs de la langue ». Il reste que l'écart actuel entre les francophones et les élèves en immersion pourrait être sensiblement réduit. La raison de cette différence, d'après les constatations de Day et Shapson, est que les élèves en immersion n'ont pas besoin d'atteindre le niveau du français normatif en raison de leur réussite à communiquer en classe.

Dans le contexte de l'immersion, toutefois, la langue française ne sert pas uniquement d'outil de communication, mais aussi d'appui indispensable à la réussite scolaire, au développement de la littératie et des capacités cognitives. À mesure que les élèves progressent d'une année à l'autre, les situations où on leur demande de traiter la langue se complexifient et diffèrent de plus en plus des interactions de tous les jours (Cummins, 2000). Il est donc nécessaire d'améliorer les compétences communicatives des élèves en immersion pour favoriser une plus grande précision et l'expression d'idées complexes qui est la clé de leur réussite scolaire. De bonnes compétences communicatives en français peuvent également ouvrir de nombreuses portes aux niveaux social, professionnel et scolaire.

1.3 COMMENT EXPLIQUER CES FAIBLESSES ?

Pour fournir aux élèves le soutien dont ils ont besoin, il faut d'abord comprendre les causes de leurs faiblesses linguistiques. Plusieurs contraintes au développement de la L2 ont pu être identifiées lors de recherches menées dans les classes d'immersion (Harley et coll., 1990 ; Swain, 1985, 1988). La plupart des observations convergent vers cette conclusion : dans l'enseignement immersif, c'est très souvent le contenu qui est priorisé au détriment de la langue. La capsule suivante dévoile les principales causes des faibles compétences grammaticales, lexicales et sociolinguistiques des élèves en immersion.

IMMERSION EN ACTION

En immersion, plus que dans tout autre programme d'enseignement de L2, les attentes quant au développement et à la maîtrise des compétences communicatives doivent être élevées. À mesure que les élèves avancent dans le programme, un niveau supérieur de compétence devient indispensable pour la lecture avancée et la rédaction efficace dans tous les domaines.

PRINCIPALES CAUSES DES FAIBLESSES LINGUISTIQUES EN CLASSE D'IMMERSION

1. **Les élèves peuvent contourner la grammaire pour se concentrer sur le sens**
   - Décoder le sens d'un énoncé ne requiert pas de connaissance syntaxique ou morphologique précise. Par conséquent, les élèves peuvent éviter l'information grammaticale pour se concentrer sur les éléments clés du vocabulaire et du contexte.
   - Lors de la transmission d'un message, les élèves ont également tendance à éviter les traits linguistiques qui ne sont pas essentiels à la communication pour se préoccuper uniquement du sens.

(Cameron, 2001 ; Harley, 1993 ; Skehan, 1998 ; Swain, 1985, 1988.)

(suite p. 7)

2. Le langage de l'enseignement est limité du point de vue linguistique

- L'enseignement du contenu disciplinaire offre aux élèves un éventail limité de traits linguistiques. En voici quelques exemples :
  - les temps des verbes, dont les trois quarts sont au présent ou à l'impératif (voir les chapitres 6 et 7) ;
  - l'absence du *vous* formel et l'usage du *tu* pour exprimer le pluriel et faire une référence indéterminée (voir le chapitre 11) ;
  - l'imprécision des indices lexicaux pour le genre grammatical : seulement la moitié des déterminants et des adjectifs et moins d'un tiers de tous les pronoms objets directs de la 3e personne établissent clairement le genre (voir le chapitre 9) ;
  - la prépondérance de variantes formelles au détriment des variantes informelles.

(Lyster et Rebuffot, 2002 ; Mougeon et coll., 2010 ; Poirier et Lyster, 2014 ; Swain, 1985, 1988.)

3. On a maintenu la séparation entre la langue et le contenu disciplinaire

- Les premières observations en salle de classe ont révélé qu'il est relativement rare de voir des enseignants en immersion :
  - faire référence, lors de leçons axées sur le contenu disciplinaire, à ce qui a été présenté dans une leçon de grammaire ;
  - prévoir des activités axées à la fois sur le contenu disciplinaire et des traits linguistiques.

(Allen, Swain, Harley et Cummins, 1990.)

4. L'immersion a mis l'accent sur la compréhension aux dépens de la production en L2

- Tel qu'il a été observé en salle de classe, l'enseignement du contenu disciplinaire ne fournit pas suffisamment d'occasions de production langagière, ce qui habitue les élèves à recevoir l'information plutôt qu'à la transmettre.
- Des études ont également montré que la **rétroaction corrective** est utilisée de manière inconstante en salle de classe, réduisant les occasions de prise de conscience des erreurs.

(Allen et coll., 1990 ; Swain, 1985.)

> **GLOSSAIRE**
>
> La **rétroaction corrective** est une réponse de la part de l'enseignant ou de l'enseignante à des énoncés d'élèves comportant une erreur. *Rétroaction* équivaut à *feedback* en anglais. Le chapitre 4 est entièrement consacré à la rétroaction corrective orale.

Les croyances initiales dans le domaine de l'immersion voulaient que l'apprentissage de la L2 se réalise principalement de manière réceptive et implicite, sans porter attention aux traits linguistiques. L'acquisition de la langue cible était censée s'accomplir par l'exposition à un langage compréhensible pour les élèves (*comprehensible input* : Krashen, 1985), mais dépassant légèrement leur niveau de compétence. Il y a désormais un grand nombre de recherches et de données empiriques prouvant que l'exposition à un langage compréhensible est utile, mais ne suffit pas à assurer un progrès continu en L2. On estime aujourd'hui que cet enseignement implicite de la langue est une source importante des faiblesses linguistiques des élèves en immersion.

Il ne suffit pas de donner à la langue une plus grande place dans les cours d'immersion ; encore faut-il la lier aux matières enseignées. La séparation du contenu disciplinaire et de la langue « prive les élèves des possibilités de se concentrer sur les caractéristiques spécifiques de la langue au moment même où leur motivation à les apprendre pourrait être au niveau le plus élevé » (Lightbown, 2014 : 30, traduction libre). Depuis le début des années 1990 (Long, 1991 ; Stern, 1990), les théoriciens de l'éducation en L2 soulignent l'importance d'adopter une approche intégrant l'enseignement de la forme (la langue) à celui du sens (le contenu) afin d'assurer le développement continu de la L2. Cet ouvrage propose de nombreuses manières de mettre en pratique cette idée.

1.4 ET SI L'ON INSTAURAIT UNE APPROCHE INTÉGRÉE ?

Contrairement aux conceptualisations initiales des programmes d'immersion, les chercheurs semblent maintenant s'entendre pour dire qu'il faut incorporer davantage d'objectifs linguistiques dans les programmes axés sur le contenu. Mais quelles sont les façons les plus efficaces de se concentrer sur la langue en pédagogie immersive ?

Une gamme variée de pratiques a certainement été observée. Voici deux façons d'enseigner différentes qui ont été observées dans des cours de sciences (Day et Shapson, 1996). Analysez les forces et les faiblesses de chacune. Laquelle de ces pratiques est susceptible d'engendrer les meilleurs résultats ? Pour quelles raisons ?

La classe de sciences de Michel*

Michel entamait ses leçons de sciences en évoquant les connaissances antérieures de ses élèves pour introduire la matière du manuel, sans toutefois inciter les élèves à poursuivre la discussion. Il ne les encourageait pas à préciser leurs réponses, lesquelles consistaient en un ou quelques mots. Il répétait ou reformulait ce que ses élèves disaient, écrivait leurs réponses au tableau et leur demandait de prendre des notes. Son français était un excellent modèle, mais servait peu à élaborer ses idées. La langue était employée comme moyen de communication entre l'enseignant et ses élèves, mais très peu entre les élèves.

La classe de sciences de Claudette*

Les élèves de Claudette constituaient une communauté impliquée dans sa démarche scientifique. Claudette les encourageait à spéculer, à justifier leurs hypothèses et à être à l'aise avec le fait qu'il n'y avait peut-être pas une seule bonne réponse à certaines questions. Claudette avait toutefois des objectifs d'apprentissage clairs et structurait ses cours en fonction de ces objectifs. Grâce à sa façon d'aborder les sciences, les élèves avaient de nombreuses occasions d'utiliser la langue cible pour communiquer entre eux. En jumelant la langue et les sciences, Claudette permettait à ses élèves d'employer une vaste gamme de formes et de fonctions linguistiques.

* Noms fictifs.

Le premier exemple correspond à un type d'enseignement plus traditionnel, où l'exposé magistral occupe une place importante et où le rôle des élèves est essentiellement passif. Il présuppose que l'apprentissage se réalise par la compréhension plutôt que par la production. Quant au second exemple, il propose une pratique d'enseignement où l'élève participe activement à son apprentissage en élaborant ses propres hypothèses et raisonnements. Cette approche implique que l'élève, en explorant le contenu, doit nécessairement explorer la langue dans laquelle il s'exprime.

Dans une étude à grande échelle menée auprès de 23 classes d'immersion de la 1re à la 3e année à Terre-Neuve (Netten et Spain, 1989), on a noté que les pratiques d'enseignement suivantes avaient favorisé un meilleur rendement des élèves en L2 :

- l'emploi de la technique de question-réponse plutôt que du format magistral ;
- des occasions d'interaction importante entre pairs ;
- l'utilisation de la langue plutôt que d'indices non verbaux pour transmettre un message ;
- la rétroaction corrective explicite plutôt qu'implicite.

Les meilleurs résultats ont été observés dans les classes où on encourageait le plus grand nombre d'élèves possible à communiquer de manière active et importante, que ce soit en groupe-classe ou avec leurs pairs. Plus les élèves avaient d'occasions de s'investir dans la langue, plus ils étaient susceptibles de s'améliorer en L2. De plus, le fait de les encourager à s'exprimer avec précision et à prendre conscience de leurs erreurs s'est révélé plus efficace que la simple reformulation de ces erreurs par l'enseignant ou l'enseignante.

L'approche intégrée met en pratique ces observations en favorisant l'*intégration* de la langue au sein de la matière vue en classe. Son objectif est de renforcer la **conscience métalinguistique** des élèves tout en enseignant les contenus disciplinaire et thématique. Sans développer leur conscience métalinguistique, les élèves progresseront difficilement dans leur apprentissage du français. Grâce à différentes techniques, l'approche intégrée les amène à remarquer et à employer des traits linguistiques qui passeraient autrement inaperçus dans un cours orienté sur le contenu. En accordant un statut complémentaire aux objectifs disciplinaires et linguistiques, l'approche intégrée fournit les conditions les plus propices à l'acquisition continue de la langue, favorisant les liens suivants au sein du programme d'études :

- entre le cours de français et les disciplines non linguistiques (histoire, géographie, sciences, maths, etc.) ;
- entre le contenu linguistique et les contenus thématique et littéraire au sein du cours de français ;
- entre le cours de français et le cours d'anglais (voir le chapitre 12).

Cette approche fait ainsi contrepoids à l'écart bien attesté en immersion entre l'enseignement de la langue et celui du contenu disciplinaire. Sans viser un parfait équilibre, elle donne à la langue une plus grande place dans la matière enseignée.

> **GLOSSAIRE**
>
> La **conscience métalinguistique** est la capacité à détecter des traits linguistiques dans le langage, ce qui facilite l'analyse grammaticale, syntaxique, lexicale et morphologique d'un mot ou d'un énoncé.

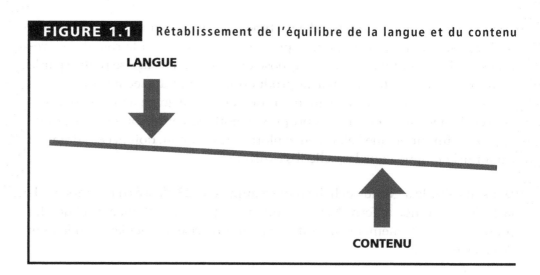

FIGURE 1.1 Rétablissement de l'équilibre de la langue et du contenu

LANGUE

CONTENU

Des stratégies efficaces

Pour intégrer efficacement la langue aux matières enseignées, l'approche intégrée propose toute une gamme de stratégies efficaces :

- le jumelage de la langue et du contenu ;
- le développement et la précision de la langue ;
- l'environnement d'apprentissage linguistiquement riche ;
- l'étayage axé sur la compréhension ;
- l'étayage axé sur la production ;
- la clarté du discours pédagogique ;
- la différenciation.

Toutes ces stratégies seront présentées dans cet ouvrage, à l'exception de la différenciation, qui mérite un traitement à part (voir l'ouvrage de Tara Fortune, 2010, *Struggling Learners and Language Immersion Education*). Elles figurent à l'annexe A dans la « Grille d'observation des stratégies de l'approche intégrée en immersion » adaptée de Fortune (2000, 2014).

L'approche intégrée diffère de l'enseignement traditionnel, qui isole la langue de tout contenu autre que la mécanique de la langue elle-même. Bien qu'elle nécessite beaucoup de planification et n'aille pas de soi pour de nombreux enseignants, elle a l'avantage de favoriser une plus grande implication des élèves dans leur apprentissage. De plus, elle engendrera sans conteste de meilleurs résultats en ce qui concerne le développement de la L2.

1.5 UN PETIT AVANT-GOÛT

Deux catégories distinctes d'approche intégrée seront explorées dans ce livre : les approches réactive et proactive.

- L'approche intégrée *réactive* consiste en des techniques d'étayage telles que les questions posées aux élèves et la rétroaction corrective orale. Ces techniques encadrent la participation des élèves pour s'assurer que l'interaction en classe est une source clé de l'apprentissage. Elles seront spécifiquement abordées dans les chapitres 3 et 4.

- L'approche intégrée *proactive* consiste en des activités planifiées mettant l'accent sur des traits linguistiques qui, autrement, ne seraient pas utilisés ou remarqués par les élèves. Ces activités sont organisées en une progression allant de la prise de conscience d'un trait linguistique à sa mise en pratique autonome dans le contexte d'une autre discipline. L'approche intégrée proactive sera spécifiquement abordée dans les chapitres 5 à 12.

Il est toutefois à noter que, pour une efficacité optimale, il est préférable de mettre en œuvre les approches intégrées proactive et réactive en tandem. Des études ont en effet démontré que l'enseignement planifié de la langue ainsi que les nombreuses occasions imprévues d'étayage en classe ont une importance égale dans l'apprentissage (Day et Shapson, 1996).

Voici un petit avant-goût de l'approche intégrée à la fois proactive et réactive dans la pratique. Il s'agit d'un exemple fictif très simple qui se déroulerait en classe de mathématiques.

Un exemple d'approche intégrée en pratique

Dans sa classe de mathématiques, Dominique met l'accent sur la langue tout en abordant des problèmes portant sur l'âge. Les élèves étaient amenés à atteindre les objectifs suivants :

- remarquer qu'il faut utiliser le verbe *avoir* pour exprimer l'âge en français ;
- utiliser les formes du verbe *avoir* en trouvant les solutions aux problèmes.

Voici quelques problèmes abordés :

- *Quand j'aurai 26 ans, mon âge aura doublé. J'ai quel âge ?*
- *Ma fille a 9 ans. Elle a le quart de mon âge. J'ai quel âge ?*
- *Si Louis ajoute 5 ans à la moitié de son âge, cela fait 12 ans. Quel âge a-t-il ?*
- *Il y a 12 ans, Tamara avait le tiers de son âge actuel. Quel âge a-t-elle ?*
- *Simon a le double de l'âge de Jérémie. Si on additionne leurs âges, cela fait 27 ans. Quel est l'âge de Simon et celui de Jérémie ?*

Dans un premier temps, suivant une approche proactive, Dominique fait prendre conscience aux élèves, de manière inductive ou déductive, des différences entre l'anglais et le français pour exprimer l'âge de quelqu'un. Dans un deuxième temps, suivant une démarche réactive, Dominique donne de la rétroaction corrective durant la résolution de ces problèmes et la mise en commun qui s'ensuit, visant l'utilisation correcte du verbe *avoir* pour exprimer l'âge.

Évidemment, l'emploi des verbes *être* et *avoir* est un élément important de la grammaire française qui nécessite la récurrence de telles interventions à travers le programme d'études. À cet effet, je vous invite à consulter la ressource en ligne de Harley (2013) pour plus d'information au sujet de la distinction *être/avoir* et pour des idées pratiques d'activités.

Vidéo 1 : Une approche intégrée ciblant le verbe *avoir*

Une vidéo donnant un aperçu de l'approche intégrée est disponible en complément de cet ouvrage.

Dans un cours de français en 1re année, l'enseignante France Bourassa anime une « dictée qui bouge » ciblant quelques formes du verbe *avoir* au présent. Ensuite, elle aborde la question du jour : *Est-ce que tu as une fenêtre dans ta chambre ?* À partir des réponses des élèves, France travaille les différentes formes du verbe *avoir* au présent de manière très interactive. À l'étape de la pratique, chaque élève pose, à tour de rôle, la question du jour à un autre élève qui doit y répondre. Cet apprentissage des formes du verbe *avoir* est réinvesti dans une activité de mathématiques où les élèves doivent calculer des unités et des dizaines. Exemple :

Élève 1 : *J'ai 4 unités et 5 dizaines.*
Élève 2 : *As-tu le numéro 54 ?*

La rétroaction corrective est très présente tout au long de la vidéo. En priorisant l'interaction avec ses élèves comme source clé de l'apprentissage, France met en œuvre une approche intégrée à la fois réactive et proactive.

Note

Les vidéos se trouvent sur le DVD-ROM inclus dans la version papier de l'ouvrage et sont intégrées à la version numérique. Les utilisateurs de la version papier peuvent aussi avoir accès aux vidéos via la plateforme Ma Zone CEC (mazonecec.com) en créant un compte et en activant les vidéos avec le code suivant : GSTQKUXL.

Dans la troisième partie du livre, on reviendra sur d'autres traits linguistiques qui s'avèrent difficiles pour les élèves en immersion, tels que les temps verbaux, le genre grammatical et les pronoms. Il sera question d'outiller les enseignants pour mieux mettre en évidence et en pratique divers traits caractéristiques du français à travers tout le programme d'études.

Avant d'en arriver à ces problématiques précises, il convient d'explorer la manière dont les connaissances linguistiques sont acquises par les élèves pour mieux saisir la pertinence de l'approche intégrée. On verra dans le chapitre suivant comment se développent les compétences en L2 et quelles pratiques d'enseignement favorisent leur amélioration.

CHAPITRE 2

La théorie de l'acquisition des compétences

OBJECTIFS

- Comprendre le lien dynamique entre les connaissances déclaratives et procédurales dans l'apprentissage du français L2

- Saisir l'importance d'une pratique langagière signifiante et contextualisée

2.1 POURQUOI LA THÉORIE DE L'ACQUISITION DES COMPÉTENCES ?

Pour comprendre les fondements de l'approche intégrée en immersion, il est nécessaire de connaître la façon dont le français L2 est acquis par les apprenants. Comment leur conscience métalinguistique se développe-t-elle ? Comment cela affecte-t-il leur production langagière ? Ces questions seront étudiées en prenant principalement appui sur la théorie de l'acquisition des compétences, qui est l'un des fondements de l'approche intégrée. Je tiens cependant à préciser, avec Echevarría et Graves (1998), que les pratiques d'enseignement efficaces s'inspirent de différentes théories de l'apprentissage et préconisent l'équilibre entre différentes approches.

Mon penchant pour la théorie de l'acquisition des compétences découle du rôle central qu'elle attribue à la fois à la pratique langagière et à la rétroaction corrective. Ces méthodes guident les élèves vers un usage plus précis et fluide du français tout en réduisant l'utilisation des formes de l'interlangue. L'interlangue (Selinker, 1972) est la version d'une L2 que développent les apprenants à différentes étapes de leur apprentissage. Elle est dynamique et évolutive, car elle est censée s'approcher de plus en plus de la langue cible. Cependant, il arrive que l'interlangue se fossilise, c'est-à-dire qu'à force d'être utilisée, elle atteigne un plateau. La perspective de ce livre est qu'il est possible de restructurer les formes de l'interlangue en immersion grâce à des interventions pédagogiques bien planifiées.

IMMERSION EN ACTION

On dit souvent que les expressions courantes de l'interlangue, telles que *je suis douze*, *ça regarde bon* et *j'ai allé*, sont « fossilisées ». Dénotant un état relativement permanent et inchangeable, le terme *fossilisation* est peu prometteur pour décrire la langue qu'utilisent de jeunes élèves toujours en voie d'apprentissage. L'approche intégrée travaille à restructurer les formes de l'interlangue en faisant appel à la théorie de l'acquisition des compétences.

Des exemples d'interlangue

Voici quelques exemples tirés d'une des premières études portant sur l'interlangue des élèves de 1re année en immersion (Selinker, Swain et Dumas, 1975) :

- *Le chien a mangé les.*
- *Ça regarde très drôle.*
- *Le chat toujours mordre.*
- *Un chalet qu'on va aller à.*
- *Je lis des histoires à il en français.*

Il importe de constater, sans trop insister sur les erreurs, ce que ces jeunes en début d'apprentissage sont déjà capables d'exprimer en français. Les erreurs sont issues de leur interlangue dont le développement est naturel et donc peu problématique, à moins qu'elle ne devienne fossilisée, sans s'approcher davantage du français normatif.

Grâce à la théorie de l'acquisition des compétences, il est possible de comprendre comment l'interlangue se fossilise et de guider les élèves vers une meilleure utilisation de la L2 (Lyster et Sato, 2013 ; Ranta et Lyster, 2007). Voyons son fonctionnement de plus près.

2.2 CONNAISSANCES DÉCLARATIVES ET PROCÉDURALES

Selon la théorie de l'acquisition des compétences, l'apprentissage se réalise par une assimilation progressive des connaissances, qui passeraient de déclaratives à procédurales (Anderson, 1996).

- Les connaissances *déclaratives*, souvent considérées comme explicites, sont des informations enregistrées dans la mémoire. Ce sont des savoirs comme des concepts, des formules, des schémas et des faits historiques ou géographiques.
- Les connaissances *procédurales*, souvent considérées comme implicites, correspondent à la mise en œuvre concrète de ces informations. Ce sont des savoir-faire qui entrent en jeu, par exemple, lors de la résolution de problèmes, des tâches motrices et de la pratique d'un sport comme le vélo ou le patin.

L'acquisition des connaissances est d'abord lente, exigeant un effort d'attention et l'utilisation de la mémoire à court terme. Elle devient ensuite plus rapide, exigeant moins d'effort, car l'individu commence à agir en fonction de procédures automatisées dans la mémoire à long terme (Shiffrin et Schneider, 1977). L'acquisition des compétences implique donc le développement, d'une part, de représentations mentales emmagasinées dans la mémoire en tant que connaissances déclaratives. D'autre part, elle fait appel à des dispositifs cognitifs qui traitent ces représentations mentales pour les transformer en connaissances procédurales.

En ce qui concerne la langue, les connaissances déclaratives englobent les connaissances linguistiques telles que les définitions de mots et les règles grammaticales. Quant aux connaissances procédurales, elles font appel à ces informations emmagasinées dans la mémoire pour traiter le langage lors de la compréhension et de la production.

La procéduralisation des connaissances en L2

Voici quelques exemples de connaissances déclaratives d'ordre linguistique qui pourraient être acquises lors de l'apprentissage du français :

a) les formes du verbe *être* à la 1re et à la 3e personne du présent sont, respectivement, *suis* et *est*;

b) *canadien* et *américaine* sont des adjectifs respectivement masculin et féminin;

c) *mon* et *ma* sont des déterminants possessifs masculin et féminin, respectivement (bien que *mon* puisse également précéder un nom féminin commençant par une voyelle).

(suite p. 16)

La procéduralisation des connaissances en L2 (suite)

Les connaissances procédurales permettraient à leur tour à un locuteur masculin de se présenter ainsi dans le contexte d'une conversation :

Mon père est américain, mais ma mère est canadienne et je suis canadien aussi.

À ce stade, les règles énoncées ci-dessus pourraient avoir été procéduralisées au point de ne plus être disponibles sous forme de connaissances déclaratives explicites.

De leur côté, les élèves en immersion pourraient élaborer un ensemble différent de règles inspirées de leurs propres connaissances déclaratives. Voici quelques exemples d'hypothèses ou de présuppositions erronées qui pourraient être développées :

a) *ai* et *est* ont la même sonorité et sont donc deux formes du même verbe ;
b) *canadien* et *américain* sont de genre neutre ;
c) *mon* est le mot français pour *my* (et donc ne varie pas).

L'application de ces connaissances fautives pourrait se traduire par un énoncé comme celui-ci :

Mon père est américain, mais mon mère est canadien et j'ai canadien aussi.

En l'absence de rétroaction ou d'autres types d'intervention appropriés, des formes de l'interlangue comme celles-là peuvent être procéduralisées au point de devenir des automatismes emmagasinés dans la mémoire à long terme. Ces formes fossilisées sont alors très difficiles à rectifier (Johnson, 1996 ; McLaughlin, 1987).

IMMERSION EN ACTION

Les élèves en immersion font dès le début un apprentissage implicite du français. Ils ont donc tendance à élaborer un ensemble de règles faisant appel autant à leur connaissance de la L1 qu'à leur connaissance partielle de la (ou des) L2 pour communiquer en français. Ce stade d'apprentissage donne lieu à une interlangue qui, en l'absence d'interventions appropriées, risque de se fossiliser.

La distinction entre les connaissances déclaratives et procédurales est donc très utile pour comprendre le développement de l'interlangue chez les élèves en immersion et sa fossilisation. Les approches favorisant un apprentissage « naturel » de la langue telles que l'immersion sont conçues pour contourner le développement initial de connaissances déclaratives et développer directement les connaissances procédurales de la L2 (Johnson, 1996). Toutefois, comme l'utilisation de la L2 implique le recours à des connaissances linguistiques qui n'ont pas encore été acquises, les élèves ont tendance à développer des mécanismes s'appuyant à la fois sur leur connaissance partielle du français et leur connaissance plus développée de leur langue maternelle (L1). Il y a ainsi de nombreux traits linguistiques de la L2 que les élèves n'apprennent pas de façon précise par simple exposition à la langue française. Ces traits, qui seront abordés tout au long de cet ouvrage, comprennent diverses formes et fonctions du verbe, le genre grammatical, le lexique, la formation (morphologie) des mots, la référence pronominale, les schémas syntaxiques et les marqueurs sociolinguistiques.

2.2.1 LA RESTRUCTURATION DES CONNAISSANCES

La bonne nouvelle est que l'interlangue peut évoluer vers des formes plus appropriées par le biais d'une restructuration des connaissances (McLaughlin, 1987, 1990). C'est d'ailleurs l'approche qui sera élaborée dans ce livre. La restructuration peut être réalisée par des activités qui favorisent d'abord la perception des fonctions et des formes linguistiques appropriées dans divers contextes, puis leur application dans des activités de production orale et écrite. Le défi est de pousser les élèves à développer de nouvelles connaissances conformes à la langue cible pour faire concurrence aux formes d'interlangue plus accessibles (Ranta et Lyster, 2007). Amener les élèves à réanalyser les connaissances fautives acquises implicitement équivaut en quelque sorte à essayer de « défossiliser » ces formes d'interlangue. La troisième partie de ce livre propose plusieurs exemples de séquences d'enseignement visant à atteindre cet objectif.

Il ne s'agit cependant pas de mettre de côté l'apprentissage implicite de la langue. En effet, le succès et l'intérêt de l'immersion se trouvent dans la prédisposition des élèves à assimiler une grande partie de la langue à laquelle ils sont exposés sans avoir à l'analyser d'abord. Par exemple, les jeunes élèves en immersion sont susceptibles de comprendre et même de produire des questions telles que *Quelle heure est-il ?*, *Quel âge as-tu ?* ou *Quel temps fait-il ?* sans avoir développé une connaissance explicite des règles associées à la formation de questions inversées. C'est ce qu'on appelle des formules langagières non analysées (Wray, 2002). Les élèves les ont emmagasinées dans leur mémoire, mais n'ont pas encore la capacité de générer eux-mêmes de nouvelles questions inversées. Afin de profiter pleinement de leur apprentissage implicite, les élèves bénéficieront d'un enseignement favorisant l'analyse de formules langagières acquises implicitement, car une telle analyse renforce le développement de la littératie (Bialystok, 1994). De plus, une telle approche permettra à l'élève d'élargir sa gamme de formes langagières, qui autrement resterait limitée à ses connaissances implicites. Ces occasions d'analyse doivent cependant être instaurées progressivement dans le programme, de façon adaptée au niveau et à la capacité d'apprentissage des élèves.

Alors que l'on tend à croire que les connaissances procédurales sont généralement acquises à partir des connaissances déclaratives, il est ainsi plus réaliste de voir leur interaction comme étant bidirectionnelle (Lyster et Sato, 2013). Autrement dit, l'acquisition d'une L2 ne s'effectue pas uniquement à partir de connaissances déclaratives explicites, mais aussi de manière implicite et procédurale (Bialystok, 1994). Les élèves qui ont été exposés au français assez tôt pour activer en premier lieu les processus d'apprentissage implicites profiteront des occasions d'analyse pour rendre ces connaissances plus explicites. C'est ainsi que, dans l'apprentissage d'une L2, il est autant possible de passer des connaissances déclaratives aux connaissances procédurales que de faire le chemin inverse.

IMMERSION EN ACTION

L'intérêt de l'immersion est qu'elle permet de développer un apprentissage explicite autant qu'implicite de la langue. Ces deux manières d'apprendre sont d'ailleurs complémentaires et interactives. D'un côté, on peut acquérir certaines formes implicitement et apprendre ensuite à les analyser explicitement. De l'autre, des connaissances explicites peuvent devenir implicites, c'est-à-dire automatisées dans la mémoire.

Connaissances déclaratives	Connaissances procédurales
Savoir quoi	*Savoir comment*
Connaissances linguistiques emmagasinées dans la mémoire à long terme telles que les règles grammaticales, les définitions de mots, etc.	Utilisation des connaissances linguistiques emmagasinées dans la mémoire pour les appliquer dans l'utilisation réelle de la langue

2.3 UNE PRATIQUE LANGAGIÈRE SIGNIFIANTE ET CONTEXTUALISÉE

Procéduraliser de nouvelles connaissances déclaratives ou restructurer les connaissances déclaratives existantes exige de la pratique et de nombreuses occasions d'apprentissage associant clairement les traits linguistiques au contenu disciplinaire (DeKeyser, 1998). Le terme *pratique*, souvent associé à la réalisation d'exercices mécaniques, n'a cependant pas bonne réputation dans les classes de langue. Pourtant, il y a maintenant consensus sur l'efficacité de la pratique et des exercices dans la mesure où ils sont signifiants; c'est lorsqu'ils sont dénués de sens qu'ils s'avèrent inefficaces. Voici une expérience que j'ai vécue comme apprenant du français L2 qui illustre bien cette affirmation.

La répétition mécanique comparée à l'interaction signifiante

J'ai commencé à apprendre le français en 1969 grâce à la méthode audiovisuelle *Voix et Images de France* (CREDIF, 1961). Nous écoutions des dialogues enregistrés qui accompagnaient des images fixes représentant les différents locuteurs, soit une famille parisienne. Voici la leçon 1, dont je me souviens encore très bien (récupérée de https://www.youtube.com/watch?v=IcqKYQF1Fws):

A: *Voilà Monsieur Thibaut. Voilà Madame Thibaut. Bonjour Monsieur.*
B: *Bonjour Mademoiselle.*
A: *Vous êtes Monsieur Thibaut?*
B: *Oui. Je suis Monsieur Thibaut. Vous connaissez ma femme?*
A: *Non.*
B: *Madame Thibaut.*

(suite p. 19)

A: *Bonjour Madame.*
C: *Bonjour Mademoiselle.*
A: *Entrez, s'il vous plaît.*
C: *Pardon.*
A: *Asseyez-vous.*
C: *Merci.*
A: *Je vous présente Monsieur Thibaut et Madame Thibaut. Monsieur Thibaut est français. Vous habitez à Paris?*
B: *Oui. J'habite place d'Italie à Paris.*
A: *Monsieur Thibaut est ingénieur.*

J'étais en 8e année et, rendu en 10e année, j'avais si bien appris et répété ces dialogues que mes notes suffisamment élevées m'ont permis d'être sélectionné pour participer à un programme d'échange à l'été 1972 à Québec. Alors que ma famille d'accueil me parlait seulement en français, il était difficile pour moi de répondre autre chose que «Ah, je vois». Ce que j'avais appris à l'école de 14 à 16 ans me permettait à peine de transmettre autre chose que le fait d'être un ingénieur vivant à Paris, place d'Italie, avec ma femme et mes deux enfants! Je n'oublierai jamais le jour où j'ai finalement compris un énoncé produit spontanément et où j'ai donc pu m'engager dans une interaction signifiante. «Le stylo sur la table est à qui?», a demandé la mère de mon partenaire d'échange, à laquelle j'ai répondu avec enthousiasme: «À moi!» Ce stylo était le mien! Je pouvais ne pas être un ingénieur parisien, mais ce stylo était vraiment le mien, et je l'avais dit.

Cette expérience met en évidence la différence de résultats entre, d'une part, la répétition mécanique et, d'autre part, la compréhension et la production dans un contexte signifiant et interactif. Pour améliorer les compétences communicatives et en faciliter le transfert (c'est-à-dire l'application), la pratique langagière doit être à la fois engageante, communicative, signifiante et contextualisée. Concevoir la pratique de cette manière constitue un défi important pour l'enseignement en immersion, et qui sera abordé tout au long de ce livre.

FIGURE 2.2   Caractéristiques d'une pratique langagière fructueuse

La pratique langagière est...

... engageante:	**... communicative:**
elle invite les élèves à s'améliorer en s'impliquant dans leur apprentissage (DeKeyser, 2007).	elle favorise la communication plutôt que la simple répétition (Segalowitz, 2000).
... signifiante:	**... contextualisée:**
elle a un sens plutôt que d'être seulement mécanique (Anderson et coll., 1981).	elle ressemble au contexte dans lequel l'apprentissage sera réutilisé (Lightbown, 2008).

Pour un apprentissage efficace de la L2, la pratique langagière doit avoir lieu dans un contexte signifiant et interactif (plutôt que mécanique). Il est en effet plus facile de réactiver des connaissances dans un contexte semblable à celui où elles ont été acquises. Grâce à son contenu disciplinaire, l'immersion offre un excellent cadre pour une pratique de communication authentique.

L'idée que la pratique langagière doit ressembler au contexte où l'apprentissage sera réutilisé renvoie à la notion du traitement approprié au transfert, selon laquelle on peut plus facilement réactiver les connaissances dans des conditions semblables à celles où elles ont été enregistrées (Lightbown, 2008 ; Segalowitz, 2000). Autrement dit, lors d'une interaction orale spontanée, il serait plus difficile de récupérer les traits linguistiques appris lors de leçons de grammaire décontextualisées que ceux appris dans un contexte similaire de communication.

L'immersion fournit un excellent cadre pour mettre en pratique le traitement approprié au transfert. En effet, son contenu disciplinaire offre de multiples possibilités d'échanges et d'activités, et ce, dans un contexte de communication authentique. Le défi de l'enseignement immersif consiste à saisir ces occasions pour aborder des traits linguistiques et ainsi développer la conscience métalinguistique des élèves.

Dans la seconde partie, différentes techniques favorisant le développement de la langue lors des interactions en classe seront explorées. Cette dimension de l'approche intégrée est appelée réactive, car elle vise soit à provoquer une réaction de l'élève, soit à réagir directement à un de ses énoncés. Plus spécifiquement, le chapitre 3 traite des techniques d'étayage et de questionnement, alors que le chapitre 4 est dédié à la rétroaction corrective.

PARTIE 2

L'APPROCHE INTÉGRÉE RÉACTIVE

L'approche intégrée réactive vise à faire de l'interaction entre élèves et enseignants une source clé de l'apprentissage du français. Elle comprend deux grands volets: l'étayage et le questionnement (traités au chapitre 3) ainsi que la rétroaction corrective (traitée au chapitre 4). Les techniques d'étayage aident les élèves à accomplir des tâches de compréhension et de production de manière progressivement autonome. Quant au questionnement, il incite les élèves à élaborer leurs réponses et à approfondir leurs connaissances. Finalement, la rétroaction corrective vise à faire progresser l'apprentissage des élèves grâce à leurs erreurs linguistiques.

CHAPITRE 3

L'étayage et le questionnement

OBJECTIFS

- Explorer différentes techniques d'étayage et saisir leur rôle crucial dans l'apprentissage

- Identifier la fonction stratégique des questions et de bonnes façons de les poser

- Observer et appliquer ces techniques dans des exemples d'interaction en classe

3.1 QU'EST-CE QUE L'APPROCHE INTÉGRÉE RÉACTIVE ?

L'approche intégrée réactive permet aux enseignants en immersion d'intégrer la langue aux contenus disciplinaire et thématique de manière apparemment spontanée. Elle propose de profiter de l'interaction en classe pour améliorer la compréhension et la production en L2. Les interventions de l'enseignant ou l'enseignante peuvent prendre les formes suivantes :

a) de l'étayage pour soutenir la compréhension et la production ;
b) des questions destinées à augmenter la quantité et la qualité de la production des élèves ;
c) de la rétroaction corrective servant à négocier à la fois la forme et le sens.

Je fais allusion ici à des interventions « apparemment » spontanées et non planifiées, car c'est ainsi que l'on perçoit généralement l'interaction orale où elles ont lieu. Cependant, cette interaction n'atteindra sa pleine efficacité que si elle fait l'objet d'une réflexion et d'une certaine planification de la part des enseignants.

Le but de cette partie est de susciter une telle réflexion et de fournir les outils nécessaires pour que l'interaction en classe soit une source clé de l'apprentissage. Dans ce chapitre, des techniques d'étayage et de questionnement sont présentées, de même que des occasions de réflexion sur votre propre pratique d'enseignement.

3.2 L'ÉTAYAGE

Comme le chapitre précédent l'a souligné, une pratique langagière signifiante et contextualisée est essentielle pour aider les élèves à procéduraliser ou à restructurer leurs connaissances déclaratives. Pour assurer leur réussite scolaire et développer leurs compétences en français, les élèves doivent participer à des interactions qui les poussent à dépasser le niveau de compétence déjà atteint. Or, cette approche consiste à apprendre la langue tout en la pratiquant, et donc on s'attend, paradoxalement, à ce que les élèves fassent quelque chose qu'ils n'ont pas encore appris à faire.

Bange, Carol et Griggs (2005) ont suggéré que la solution à ce problème est dans l'interaction en classe et, plus spécifiquement, dans la notion d'étayage proposée par Bruner. L'étayage est un soutien permettant aux élèves d'accomplir des tâches qu'ils ne peuvent réaliser seuls (Wood, Bruner et Ross, 1976). Il leur fournit une aide temporaire pour les guider progressivement vers l'autonomie. L'étayage est aussi connu sous le nom d'*échafaudage* (*scaffolding* en anglais).

En immersion, l'étayage vise à faciliter autant la compréhension de la L2 que l'accomplissement des tâches disciplinaires. Grâce à l'étayage, les élèves peuvent faire appel aux indices contextuels et à leurs connaissances antérieures pour comprendre et parler une langue dont ils font

IMMERSION EN ACTION

L'approche intégrée réactive profite de l'interaction spontanée en classe pour développer l'apprentissage linguistique des élèves. Elle réagit aux propos de l'élève ou encore suscite sa réaction. Les interventions réactives peuvent prendre trois formes : l'étayage, le questionnement ou la rétroaction corrective.

IMMERSION EN ACTION

L'étayage fournit aux élèves une aide temporaire pour comprendre et produire des énoncés en français. En immersion, l'étayage permet à la fois le développement de la langue et l'acquisition des connaissances liées au contenu.

l'apprentissage. Plusieurs techniques d'étayage peuvent être utilisées pour soutenir les élèves. On les regroupe en deux grands types.

GLOSSAIRE

- Dans une **autorépétition**, on répète le mot ou l'idée qu'on vient d'énoncer pour souligner son importance.
- Dans une **paraphrase**, on exprime en d'autres mots ce qu'on vient d'énoncer de manière à en faciliter la compréhension.

IMMERSION EN ACTION

Deux grands types d'étayage sont proposés.

- L'étayage axé sur la compréhension aide les élèves à assimiler le contenu présenté dans leur L2.
- L'étayage axé sur la production les appuie dans l'utilisation de la L2 en contexte disciplinaire.

Deux grands types d'étayage

L'étayage axé sur la compréhension

Une vaste gamme de techniques d'enseignement aident à faciliter la compréhension de la matière scolaire par l'entremise de la langue d'immersion.

Certaines techniques font appel à la redondance linguistique, qui consiste à dire plus ou moins la même chose, mais de différentes façons, en utilisant :

- l'**autorépétition** ;
- la **paraphrase** ;
- les synonymes ;
- plusieurs exemples.

D'autres techniques font appel à un soutien non linguistique en utilisant :

- les gestes et les expressions faciales ;
- les organisateurs graphiques ;
- les connaissances antérieures des élèves ;
- les documents visuels et multimédias ;
- la prévisibilité des routines de classe.

Ce type d'étayage doit être conçu comme un soutien temporaire afin d'amener les élèves à développer leurs propres stratégies de compréhension. Avec le temps, il est peu probable que le recours constant à ce type d'étayage contribue au développement de leur système linguistique. Cela signifie que les enseignants doivent fournir juste assez de soutien pour rendre la L2 compréhensible, tout en gardant des exigences assez élevées pour favoriser l'autonomie.

L'étayage axé sur la production

Les enseignants disposent également de plusieurs techniques pour encourager la production adéquate des élèves en français.

Premièrement, dans leur propre interaction avec les élèves, les enseignants peuvent :

- leur donner un temps d'attente approprié pour interpréter les questions et formuler leurs réponses ;
- fournir des indices thématiques et linguistiques qui soutiennent l'expression des idées ;
- établir des liens avec d'autres connaissances.

Deuxièmement, la création de nombreuses occasions d'interaction entre élèves est une excellente façon d'encourager la production en français. En voici quelques exemples :

- les jeux de rôle et les simulations ;
- les débats ;
- les présentations.

(suite p. 25)

Finalement, les enseignants peuvent promouvoir l'apprentissage entre pairs lors des activités de production, notamment par :

- des travaux d'équipe ;
- la démarche «penser-se réunir-partager» (*think-pair-share* en anglais) ;
- l'édition, la correction et l'évaluation par les pairs ;
- le tutorat par les pairs.

Pour une liste complète de techniques d'étayage en compréhension et en production, voir l'annexe A.

Vidéo 2 : L'étayage en mathématiques et en sciences

Une vidéo où l'on peut voir une enseignante mettre en œuvre différentes techniques d'étayage en 1re année est disponible.

Dans le cours de mathématiques, France Bourassa lit très clairement le problème que les élèves doivent résoudre. Le problème est projeté sur un tableau interactif et met en scène une petite fille à la plage. Pour activer leurs connaissances antérieures et faciliter la compréhension du problème, France fait un rémue-méninges avec les élèves sur les éléments qu'on trouve sur une plage.

Ensuite, en sciences, les élèves font l'expérience de la semaine, qui porte sur la vitesse de fonte d'un glaçon plongé dans l'eau tiède, salée ou en mouvement. France fournit un excellent étayage pour aider les élèves à résumer et expliquer les résultats de leurs expériences. Elle leur pose des questions, utilise la redondance linguistique et divers autres moyens pour appuyer leur apprentissage.

Grâce aux techniques d'étayage, les enseignants en immersion n'ont pas à recourir à l'anglais pour faciliter la compréhension des élèves. Il est très important d'éviter l'usage de l'anglais, car cela peut réduire la **profondeur de traitement** et donc affecter l'assimilation de nouveaux mots en L2 (Cameron, 2001). Il est en effet plus probable que l'élève se rappelle un mot en français si on lui a donné l'occasion de réfléchir à sa signification que si on lui en a tout simplement dit l'équivalent en anglais. Par ailleurs, la traduction met l'accent sur des traits de vocabulaire isolés plutôt que contextualisés (Pessoa, Hendry, Donato, Tucker et Lee, 2007). La référence à l'anglais peut cependant jouer un rôle métalinguistique important en soulignant les similarités et les différences interlinguistiques. C'est ce qu'on verra au chapitre 12.

En plus de faciliter la compréhension et la production par l'étayage, l'enseignement immersif doit également permettre aux élèves de s'exprimer de manière précise et élaborée. C'est le rôle stratégique joué par le questionnement, qui est une composante essentielle de l'approche intégrée réactive.

> **GLOSSAIRE**
>
> Selon la notion de la **profondeur de traitement**, le fait de réfléchir en profondeur sur une information améliore la probabilité que celle-ci soit emmagasinée dans la mémoire à long terme. Une telle réflexion implique d'abord le traitement de l'information et ensuite son utilisation de différentes façons pour la relier aux connaissances antérieures.

Le **discours de classe** désigne les moyens utilisés par les élèves et les enseignants pour communiquer en groupe-classe. Considéré comme la pierre angulaire de l'apprentissage d'une langue en contexte immersif, le discours de classe se compose de prises de parole (ex. : questions, réponses, approbations, rétroactions) dont le but est didactique ou interactif (ou les deux).

3.3 LE QUESTIONNEMENT

3.3.1 REPENSER LA SÉQUENCE IRÉ

Dans leur étude charnière du **discours de classe**, Sinclair et Coulthard (1975) ont constaté que l'échange le plus typique en contexte d'enseignement était composé de trois mouvements : l'initiation (I), la réponse (R) et l'évaluation (É). L'initiation (I) est une question posée par l'enseignant ou l'enseignante, à laquelle l'élève fournit une réponse (R), suivie de l'évaluation (É), qui confirme, élabore ou corrige la réponse.

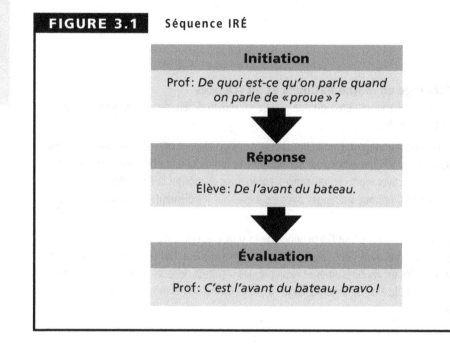

FIGURE 3.1 Séquence IRÉ

Initiation

Prof : *De quoi est-ce qu'on parle quand on parle de « proue » ?*

Réponse

Élève : *De l'avant du bateau.*

Évaluation

Prof : *C'est l'avant du bateau, bravo !*

La séquence IRÉ est considérée comme l'un des principes de base des modèles d'enseignement centrés sur le rôle professoral et la transmission des connaissances. Elle a été critiquée pour son implication minimale des élèves dans l'apprentissage et le maintien de relations inégales entre élèves et enseignants. Néanmoins, elle demeure omniprésente dans le discours de classe et regagne actuellement sa crédibilité en tant qu'outil pédagogique.

Dans leur analyse des cours de français et de sciences de la 1re à la 6e année, Nassaji et Wells (2000) ont constaté que les séquences IRÉ jouent un rôle important pour initier et relancer la discussion en classe. Elles se révèlent particulièrement utiles pour traiter des questions auxquelles il y a plusieurs réponses possibles. De plus, les séquences IRÉ permettent aux enseignants de suivre de près l'apprentissage des élèves (Mercer, 1999). Cette évaluation continue au cours de l'interaction s'avère essentielle pour mieux planifier et ajuster son enseignement.

Une séquence IRÉ efficace et bien planifiée devrait faire en sorte que toute la classe contribue à la coconstruction de connaissances ou en profite (Nassaji et Wells, 2000). Cela devient possible si l'enseignant ou l'enseignante réagit de façon variée et adaptée à la réponse de l'élève. En fait, plutôt que de simplement évaluer la réponse, la troisième étape est plus constructive si elle encourage l'élève (ou le reste du groupe) à élaborer cette réponse. En posant une autre question, on favorise une interaction plus équitable en classe et une implication accrue des élèves. La séquence IRÉ est donc compatible avec l'approche socioconstructiviste de l'éducation, où l'apprentissage est une expérience de dialogue et de mise en commun plutôt que de réception. Pour favoriser la coconstruction des connaissances, l'enseignant ou l'enseignante peut :

a) demander à l'élève ou à la classe d'élaborer, de justifier ou d'expliquer sa réponse ;
b) demander aux autres élèves de donner leur point de vue (Haneda, 2005).

Ce type de questionnement encourage les élèves à approfondir leur compréhension des concepts et à utiliser un langage plus complexe. Voici quelques types de questions efficaces.

IMMERSION EN ACTION

Il est plus constructif d'encourager l'élève (ou le groupe) à élaborer une réponse que de simplement l'évaluer. Poser une nouvelle question favorise l'implication des élèves et leur donne un plus grand rôle dans l'interaction.

TABLEAU 3.1 **De bonnes questions** (adapté d'Echevarría et Graves, 1998)

Demande d'élaboration	*Peux-tu m'en dire un peu plus au sujet de… ?* *Qu'est-ce que tu veux dire par… ?* *En d'autres mots…*
Demande de justification	*Pourquoi penses-tu cela ?* *Comment le sais-tu ?* *Qu'est-ce qui te fait penser cela ?* *Pourquoi est-ce que ça pourrait être le cas ?*
Demande d'explication	*Qu'est-ce que vous pouvez apprendre en lisant ceci ?* *Qu'est-ce qui différencie ces deux exemples ?* *Qu'est-ce que ces objets ont en commun ?*

IMMERSION EN ACTION

Les questions fermées invitent les élèves à répondre par *oui* ou par *non*, alors que les questions ouvertes commencent par un adverbe (*pourquoi, combien, comment, quand*) ou un adjectif ou pronom interrogatif (*quel, que, qui*). Il est important de poser des questions ouvertes pour susciter des réponses plus élaborées, qui démontrent une réelle compréhension. En réponse à l'omniprésente question fermée *Avez-vous tous compris ?*, les élèves ont tous tendance à faire un signe de tête affirmatif.

3.3.2 FAVORISER LE DIALOGUE

Pour encourager une plus grande production des élèves, Dalton-Puffer (2006) a recommandé que les enseignants posent moins de questions sur des faits et davantage de questions touchant à des opinions. Les questions d'opinion peuvent en effet engendrer une plus grande production si on exige que les opinions soient élaborées et justifiées. Voici un exemple simple tiré d'une discussion en 1re année au sujet des peintres. Cette discussion menée par France Bourassa est disponible en complément vidéo.

France :	*Elles étaient comment, les images de Picasso ?*
Élève 1 :	*Drôles…*
France :	*Elles étaient drôles, très bien.*
Élève 2 :	*Vraiment drôles.*
France :	*Mais pourquoi elles étaient vraiment drôles ?*

Élève 3 :	*Parce que...*
Élève 1 :	*Parce qu'il a une moustache comme ça... !*
France :	*Ah, ce n'était pas Picasso, ça, c'était Dalí. Salvador Dalí et sa très grande moustache. Très bien. Vivian ?*
Élève 4 :	*Parce que c'était drôle.*
France :	*Oui, mais pourquoi est-ce que les tableaux de Picasso étaient drôles ? Qui peut m'expliquer pourquoi c'était drôle ? Veux-tu essayer, Holly ?*
Élève 5 :	*C'est comme, parce que... C'est pas des... Comment tu dis* real *?*
France :	*Des vraies...*
Élève 5 :	*Des vraies personnes...*

Dans cette discussion, plusieurs élèves semblent partager l'opinion que les peintures de Picasso sont drôles. France ne se contente pas de cette simple réponse et profite de l'occasion pour leur demander de justifier leur point de vue. Elle les amène ainsi à élaborer leur réflexion et à explorer le langage. On peut voir qu'un des avantages des questions d'opinion suivies de demandes de justification est qu'elles suscitent une participation accrue des élèves. Si tous ne connaissent pas nécessairement les faits, la majorité d'entre eux ont un point de vue à partager...

Vidéo 3 : L'étayage et le questionnement

Une vidéo d'accompagnement montrant l'efficacité d'un étayage bien structuré et d'un questionnement bien planifié est disponible.

Dans une discussion sur des peintres paysagistes canadiens, France Bourassa présente à ses élèves de 1re année l'art du Groupe des Sept. Son objectif est d'amener ses élèves à apprécier cet art et à développer le vocabulaire nécessaire pour parler de la nature. Pour ce faire, France crée, en collaboration avec ses élèves, une toile d'idées portant sur une promenade en forêt. Tout au long de la discussion, elle leur pose de bonnes questions pour les faire réfléchir et mieux exprimer leurs idées.

IMMERSION EN ACTION

Il est recommandé de bien planifier ses questions pour accroître la production des élèves. Des questions qui suscitent leur curiosité ou leur opinion favoriseront la participation de tous au dialogue.

Une autre approche encourageant l'implication accrue de l'élève est celle de l'enseignement dialogique d'Alexander (2003). Dans cette approche, les élèves participent autant à l'élaboration de réponses qu'à la formulation de nouvelles questions. De son côté, l'enseignant ou l'enseignante planifie ses interventions de manière à susciter leur curiosité et à les inciter à préciser leur réflexion. Chaque réponse engendre une nouvelle question et fait avancer le dialogue plutôt que de le terminer.

C'est ce que nous constatons dans l'extrait suivant tiré d'une leçon de sciences humaines en 4e année. L'enseignante cherche à faire comprendre aux élèves pourquoi les maisons de Nouvelle-France étaient souvent construites en bois rond. Cette question entraîne une discussion sur la façon dont les troncs tenaient ensemble. Notez que l'omission de l'adverbe de négation *ne* est très fréquente à l'oral et considérée comme non erronée en français parlé (Sankoff et Vincent, 1977).

Prof:	*Ils les ont pas coupés en planches. Pourquoi ils ont pas coupé ça en planches ?*
Élève 1:	*Parce que ils avaient... c'était trop long. Ils avaient pas des machines comme aujourd'hui.*
Prof:	*Bon ! Ils avaient pas une machine comme aujourd'hui. Donc, on coupait l'arbre et puis on enlevait l'écorce souvent. Des fois on l'enlevait pas et puis on construisait la cabane comme ça. C'est pour ça qu'on appelle ça « une cabane en bois rond ».*
Élève 2:	*Mais comment tenaient les bois ?*
Prof:	*Hein ? Parce que...*
Élève 2:	*Comment tenaient les bois ?*
Prof:	*Eh bien, on va voir. On va voir sur les images.*
Élève 3:	*Oh ! Peut-être la... la... tu sais la pin, il y a... la sève ?*
Prof:	*La sève.*
Élève 3:	*Peut-être la sève du sapin.*
Prof:	*Ah ! Tu veux dire la gomme de sapin.*
Élève 3:	*Oui.*
Prof:	*Ce qui est collant. La gomme de sapin. Non. On va voir des images plus tard, puis vous allez voir, vous allez comprendre comment c'était fait.*

Dans cet échange, ce sont autant les interventions de l'enseignante que celles des élèves qui font avancer la réflexion. En les incitant à expliquer la raison de ce procédé, l'enseignante pique la curiosité des élèves, ce qui suscite une nouvelle question et de nouvelles réponses. Il importe de souligner que les rôles, dans cet échange, sont flexibles. L'enseignante n'est pas la seule personne à répondre aux questions; les autres élèves émettent eux aussi des hypothèses. Cette approche a le mérite de rompre la prévisibilité de la séquence IRÉ tout en encourageant la participation et l'exploration.

Les différents exemples analysés confirment le rôle clé du questionnement, qu'il provienne des élèves ou des enseignants. On sait maintenant que les questions n'ont pas seulement la fonction d'initier la discussion, mais aussi d'élaborer les réponses des élèves. Elles offrent un excellent outil pour développer à la fois la compréhension du contenu et la connaissance de la langue. Les quelques types de questions explorés vous aideront à bien planifier vos interactions et à réagir de façon adéquate aux interventions des élèves. Cependant, plus que les formules toutes faites, la meilleure façon d'intégrer un étayage et un questionnement efficaces à votre enseignement est d'observer votre propre pratique.

3.4 UNE REMISE EN QUESTION

En 1988, mes élèves et moi avons participé à une vidéo réalisée par l'Institut d'études pédagogiques de l'Ontario (Université de Toronto). Le produit final était une vidéo professionnelle d'environ 75 minutes utilisée pour la formation des enseignants en immersion (Argue, Lapkin, Swain, Howard et Lévy, 1990). On m'a aussi donné une cassette vidéo incluant des heures de cours qui n'ont pas servi. C'est à partir de cette source que j'ai pu analyser l'efficacité des techniques de questionnement et d'étayage que j'utilise en classe. Je recommande fortement que les enseignants s'enregistrent sur support vidéo ou audio lors de leurs interactions en classe. C'est peut-être le meilleur moyen dont nous disposons pour évaluer et comprendre l'impact des différents modes d'interaction sur l'apprentissage des élèves.

À titre d'exemple, j'ai retranscrit, à partir de ces enregistrements vidéo, une interaction que j'ai eue avec mes élèves de 8e année à propos du roman *Max* de Monique Corriveau (1966). Dans cet échange, je tente de faire réfléchir les élèves sur la signification des mots *refuge* et *réfugié* dans le contexte du roman. Étudions les techniques de questionnement et d'étayage que j'emploie.

D'abord, lisez l'échange en observant mon <u>questionnement</u> (souligné une fois) et mon <u>étayage</u> (souligné deux fois). Ensuite, évaluez si ces interventions favorisent :

- la compréhension du contenu ;
- la qualité de la production orale ;
- la prise de conscience de traits linguistiques.

Prof :	*Et <u>quel est le titre de ce chapitre</u>, du deuxième chapitre ? Sima ?*
Élève :	*« Le refuge ».*
Prof :	*OK, « Le refuge ». Et je vous avais demandé de trouver la signification de ce titre. <u>Qu'est-ce que ça veut dire, « un refuge »</u>? <u>Pourquoi est-ce que ce chapitre s'appelle « Le refuge »</u>, Tim ?*
Élève :	*... la protection ?*
Prof :	*Euh, oui, <u>tu es sur la bonne voie</u>, oui. <u>Soyons un peu plus précis</u> que « la protection ». Oui ?*
Élève :	*Une cachette.*
Prof :	*Oui, c'est bien, une cachette. <u>Essayez de relier les deux définitions</u> maintenant. Karen ?*
Élève :	*Une place pour cacher, pour te sauver danger.*
Prof :	*C'est bien. OK, un endroit, <u>un lieu où tu peux te cacher pour te mettre à l'abri d'un danger</u>. Et donc, <u>pourquoi est-ce que ce chapitre s'appelle « Le refuge »</u>? Liz ?*
Élève :	*Parce que Max va cacher, prendre le refuge pour la nuit.*
Prof :	*Et <u>où est-ce qu'il se cache</u>? <u>Quel est son refuge</u>? Jason ?*
Élève :	*L'aquarium.*
Prof :	*Oui, à l'aquarium. Maintenant, quel autre mot, <u>quels sont les autres mots qui viennent du mot refuge</u>? <u>Les mots qu'on entend souvent maintenant, dans les nouvelles</u> par exemple.* [En 1988, des milliers de réfugiés somaliens arrivaient au Canada, fuyant la guerre civile dans leur pays.] *Oui ?*
Élève :	*Refugié.*
Prof :	*Refugié, oui. Et <u>qu'est-ce que c'est, un refugié</u>? Lucy ?*
Élève :	*C'est quelqu'un qui, qui, euh, se cache.*
Prof :	*OK, se cache, peut-être, mais c'est surtout, c'est pas forcément qui se cache... <u>soyons un peu plus précis</u>. Oui ? Sima ?*
Élève :	*Quelqu'un qui part.*
Prof :	*Pourquoi ? <u>Pourquoi qui part</u>?*
Élève :	*Euh, beaucoup de prisons, euh...*

Prof :	*Oui, mais <u>essaie de penser à la définition de Tim du mot refuge</u>. <u>Qu'est-ce qu'un réfugié cherche</u>? Il se cache, mais... Oui ? Liz ?*
Élève :	*La protection.*
Prof :	*OK, il veut <u>se protéger de quelque chose</u>, OK. Peut-être de quelque chose <u>qui va pas dans son pays</u>, donc <u>il cherche à fuir,</u> euh, <u>à échapper à un danger</u>, par exemple, OK.*

Les questions que je pose ici ont pour but d'encourager les élèves à expliquer pourquoi le chapitre s'intitule « Le refuge » et donc ce qu'est un refuge. Dans le but de faire avancer la réflexion, j'essaie d'amener les élèves à identifier le mot *réfugié* comme un dérivé du mot *refuge*.

En parallèle, j'étaye l'interaction de manière à encourager les élèves (ex. : *tu es sur la bonne voie*) tout en les entraînant à créer des liens (ex. : *essayez de relier les deux définitions* ; *les mots qu'on entend souvent maintenant, dans les nouvelles par exemple*). Je tente de guider l'élaboration des réponses en fournissant d'autres façons d'exprimer des notions similaires :

* *se mettre à l'abri d'un danger* ;
* *se protéger de quelque chose* ;
* *chercher à fuir* ;
* *échapper à un danger.*

En réponse, les élèves sont collectivement capables d'exprimer l'idée qu'un refuge est une cachette où l'on cherche une protection contre le danger et qu'un réfugié est une personne qui fuit son pays d'origine en quête de protection.

La figure de la page suivante illustre comment le questionnement et l'étayage évoluent de manière interdépendante lors de l'échange.

FIGURE 3.2 Progression et corrélation du questionnement et de l'étayage

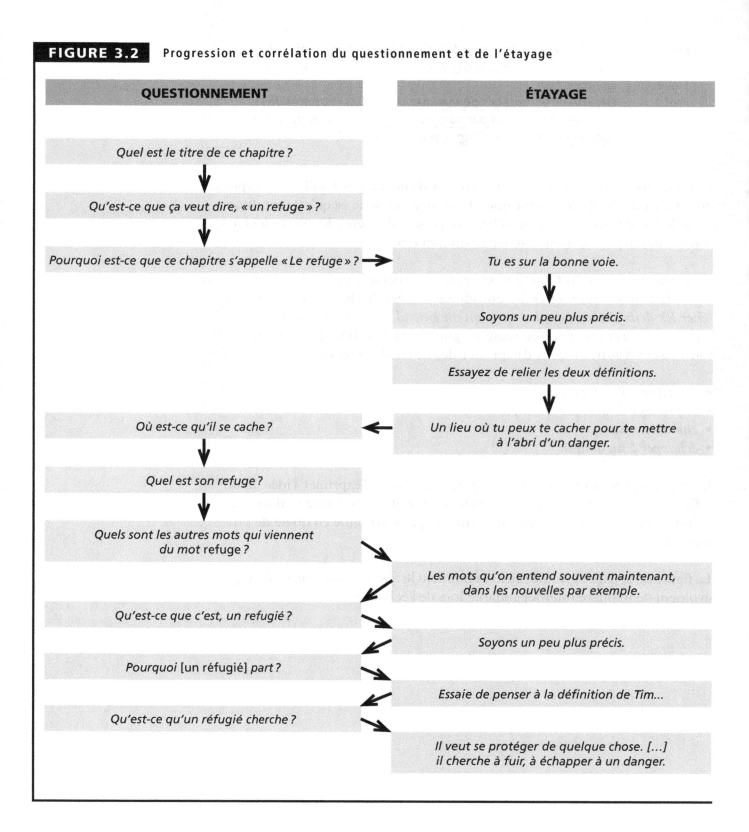

QUESTIONNEMENT	ÉTAYAGE
Quel est le titre de ce chapitre ?	
Qu'est-ce que ça veut dire, « un refuge » ?	
Pourquoi est-ce que ce chapitre s'appelle « Le refuge » ?	Tu es sur la bonne voie.
	Soyons un peu plus précis.
	Essayez de relier les deux définitions.
Où est-ce qu'il se cache ?	Un lieu où tu peux te cacher pour te mettre à l'abri d'un danger.
Quel est son refuge ?	
Quels sont les autres mots qui viennent du mot refuge ?	
	Les mots qu'on entend souvent maintenant, dans les nouvelles par exemple.
Qu'est-ce que c'est, un refugié ?	
	Soyons un peu plus précis.
Pourquoi [un réfugié] part ?	
	Essaie de penser à la définition de Tim...
Qu'est-ce qu'un réfugié cherche ?	
	Il veut se protéger de quelque chose. [...] il cherche à fuir, à échapper à un danger.

Toutefois, si l'on étudie les énoncés des élèves, on constate qu'ils prennent généralement la forme de courtes expressions nominales (ex.: *la protection, une cachette, beaucoup de prisons*) et d'expressions fautives (ex.: *une place pour cacher, pour te sauver danger*). Même si je leur demande d'être « plus précis », je ne les pousse pas vraiment à élaborer leurs réponses ni à produire un langage plus près du français normatif (ex.: *se sauver du danger, se cacher, chercher refuge* au lieu de *te sauver danger, cacher, prendre le refuge*). On pourrait pourtant s'attendre à un niveau plus avancé chez des élèves de 8e année en immersion française.

Comme c'est souvent le cas en immersion, l'objectif principal de cette leçon semble être que les élèves démontrent leur compréhension d'un texte, sans toutefois utiliser un langage précis et approprié à la tâche. Contrairement à l'objectif thématique de cet échange, les objectifs linguistiques semblent imprécis, voire absents. Les élèves tentent de définir le sens des mots *refuge* et *réfugié*, mais sans porter attention aux traits linguistiques qui leur permettraient de bien s'exprimer. C'est donc moi qui ai pris la communication en charge, empêchant que mes élèves puissent s'impliquer pleinement dans leur apprentissage de la langue.

Cette dynamique est très courante dans les contextes immersifs. Au collégial, Musumeci (1996) a constaté que les enseignants transformaient et enrichissaient les réponses obtenues en classe, plutôt que d'inciter les étudiants à les améliorer. Bien que cette prise en charge puisse être nécessaire au début de l'apprentissage, elle n'encourage pas le développement de l'autonomie fondamentale pour communiquer dans une L2 (Harley, 1993).

Pourtant, à cette époque, je croyais que j'étais en train :

- de poser de bonnes questions ouvertes ;
- d'encourager les élèves tout en les incitant à élaborer leurs réponses ;
- de les inciter à générer des mots de la même famille ;
- d'établir des liens avec l'actualité.

Mais, lorsque j'étudie leurs réponses de plus près, je réalise que j'aurais pu faire beaucoup plus pour :

- les amener à une plus grande production langagière ;
- attirer leur attention sur certains traits linguistiques indispensables pour discuter des thèmes à l'étude.

Examinons maintenant les solutions concrètes qui pourraient être mises en œuvre pour promouvoir un meilleur usage de la langue.

3.5 RÉFLEXIONS

Voici un second exemple d'interaction en classe où la production langagière pourrait être mieux encadrée. En continuant notre discussion sur la situation critique du personnage éponyme de *Max*, j'ai demandé aux élèves d'imaginer comment Max pouvait se sentir en se réfugiant la nuit dans une petite salle de projection à l'Aquarium du Québec. L'objectif thématique de cette discussion était de nommer et de définir les pensées et les émotions du personnage.

Lisez cet échange en observant mes <u>questions</u> (soulignées une fois) et les <u>réponses</u> des élèves (soulignées deux fois). Les réponses sont-elles suffisamment précises? Comment pourrait-on améliorer la production des élèves par le questionnement et l'étayage?

Prof :	*Maintenant, faites semblant que vous êtes Max et que vous êtes entrés en cachette dans l'aquarium. Vous allez dans cette salle de cinéma qui est toute vide parce qu'il y a personne, y a pas de réunions en ce moment et vous devez passer la nuit là et vous êtes tout seul sauf les poissons.* <u>À quoi est-ce que vous penseriez si vous étiez Max</u>*? À quoi est-ce que vous penseriez? Tim?*
Élève :	*Euh,* <u>après la nuit, où est-ce que tu vas passer</u>.
Prof :	*Oui, oui. Liz?*
Élève :	*Hum, dans le matin, comme si tu, hum, allais dehors et si...* <u>comme si quelqu'un va te voir</u>.
Prof :	*Oui, peut-être; quel serait le sentiment, la sensation?* <u>Quelles seraient peut-être les émotions de Max à ce moment-là</u>*? Imaginez, imaginez-vous dans un endroit vraiment vide, y a personne, on vous chasse, on vous poursuit et vous êtes obligés de passer la nuit.* <u>Quelles seraient les émotions que vous ressentez</u>*? Oui?*
Élève :	<u>La peur</u>.
Prof :	*OK, peut-être la peur. Autre chose? Daniel?*
Élève :	*Con... euh, confused, c'est, euh...*
Prof :	*Qu'il est confus.*
Élève :	*Oui,* <u>confus</u>.
Prof :	*Oui, oui, c'est bien, oui.*
Élève :	<u>Fâché</u>.
Prof :	*Oui, très fâché.*
Élève :	*Mais ça ne fait rien si, euh, le public le voit, n'est-ce pas, parce que le policier n'a pas, euh, dit à le... comme le public ne sait pas que Max est probablement coupable.*
Prof :	*Oui, c'est bien, sauf que... qu'est-ce qu'on avait écrit dans le journal? Est-ce qu'on avait publié son nom? On n'a pas publié sa photo, mais est-ce qu'on a publié son nom? Oui ou non? Jason?*
Élève :	*Oui.*
Prof :	*Oui, tout à fait. Dans l'article de Lebrun, il a dit qu'on soupçonne Max. Oui?*
Élève :	*Il serait très* <u>soucieux</u>.
Prof :	*Très...?*
Élève :	*Soucieux.*
Prof :	*Oui, très soucieux, c'est un très bon mot. OK. Très inquiet.*

Tout au long de cette discussion, je me suis efforcé d'amener les élèves à réfléchir aux émotions que pourrait avoir une personne poursuivie tout en se mettant à l'abri. Je me suis contenté de leurs réponses que je trouvais alors pertinentes, mais que je trouve maintenant peu intelligibles (*après la nuit, où est-ce que tu vas passer*; *comme si quelqu'un va te voir*) ou trop brèves (*la peur*; *confus*; *fâché*).

À tout le moins, j'aurais pu m'attendre à des énoncés composés de pronoms sujets (*je*, *tu* ou *il*) et de formes verbales correspondant à celles qui se trouvent dans les questions (comme le conditionnel). À leur niveau, les élèves auraient facilement pu produire les énoncés suivants :

- *J'aurais peur.*
- *Il serait confus.*
- *Il serait fâché.*

Pour les amener à ce résultat, il y a plusieurs possibilités d'étayage et de questionnement. Examinons quelques propositions.

D'abord, il aurait été possible d'étayer la réponse de Tim (*après la nuit, où est-ce que tu vas passer*) par une formulation plus complète et de lui demander d'élaborer sa pensée. Exemple :

Élève : *Euh, après la nuit, où est-ce que tu vas passer.*
Prof : *Donc si tu étais Max, toi, tu penserais à des endroits où tu pourrais aller le lendemain* [étayage]. *Selon toi, quelles sont ses options* [question] ?

Après la réponse de Daniel (*oui, confus*), au lieu de dire simplement *oui, oui, c'est bien*, j'aurais pu lui demander d'expliquer pourquoi Max serait confus. De même, après la réplique *fâché*, il aurait été bien d'exiger au moins une phrase complète ou encore une élaboration (contre qui serait-il fâché?). Par ailleurs, au lieu de focaliser uniquement sur le vocabulaire (*soucieux, c'est un très bon mot*), j'aurais pu féliciter l'élève qui m'a répondu *il serait très soucieux* pour sa belle phrase complète !

S'il vaut la peine, dans le cadre de l'étude de ce roman, de poser ces questions liées aux émotions, il vaut également la peine d'exiger en réponse des phrases plus longues et de meilleures explications. Cela aurait été une belle occasion d'amener les élèves à mettre en pratique un français plus précis et fluide.

Savoir réagir de façon appropriée aux erreurs des élèves est également un élément indispensable dans l'enseignement de la L2. Le prochain chapitre explore différentes techniques de rétroaction qui permettent de développer la conscience métalinguistique en immersion.

CHAPITRE 4

La rétroaction corrective

- Connaître les différents types de rétroaction corrective

- Comprendre comment employer la rétroaction corrective de manière efficace, claire et variée

- Appliquer ces notions et évaluer ses propres pratiques

4.1 « CORRIGER OU NE PAS CORRIGER, LÀ N'EST PAS LA QUESTION »

La rétroaction corrective est une réponse de l'enseignant ou l'enseignante à des énoncés d'élèves comportant une erreur. Ingrédient essentiel de l'approche intégrée, elle constitue un moyen efficace d'aborder les difficultés langagières en contexte de communication. La perspective adoptée dans cet ouvrage est que la rétroaction corrective diffère de la correction des erreurs, qui est effectuée par les élèves. En ce sens, l'enseignant ou l'enseignante qui pratique la rétroaction corrective ne corrige pas l'élève, mais l'aide à se corriger. Lorsqu'elle est utilisée de manière réfléchie et efficace, la rétroaction corrective permet ainsi d'attirer l'attention des élèves sur les formes fautives et correctes, sans pour autant faire le travail à leur place.

La rétroaction corrective peut être exercée autant à l'oral qu'à l'écrit. Sous sa forme écrite, elle est déjà appliquée par une majorité d'enseignants, par l'usage de codes graphiques (soulignement, crochets, etc.) ou alphabétiques (ex.: P pour la ponctuation). Lors de l'autocorrection, les élèves doivent interpréter ces codes et écrire la correction appropriée. Cependant, à l'oral, les pratiques sont plus susceptibles de varier d'une classe à l'autre. Elles ont également été davantage étudiées par la recherche. C'est pour cette raison que le présent chapitre est entièrement consacré à la rétroaction corrective orale.

Selon une vaste étude menée auprès de 2 321 élèves du secondaire et de 45 enseignants de L2 au Canada (Jean et Simard, 2011), plusieurs enseignants tendent à croire que les élèves préfèrent ne pas recevoir de rétroaction corrective. Toutefois, la majorité des élèves ont déclaré qu'ils aimeraient faire corriger à l'oral soit toutes leurs erreurs, soit celles qui nuisent à la compréhension de leur message. Si vous doutez de la mesure dans laquelle vos élèves aiment recevoir de la rétroaction, demandez-le-leur – et discutez aussi avec eux des différents types de rétroaction que vous verrez dans ce chapitre. J'avais l'habitude de demander à mes élèves s'ils voulaient recevoir ou non de la rétroaction corrective, et ils m'ont souvent répondu: « Fais ta job, Monsieur! »

Quand j'enseignais dans les années 1980, on nous a amenés à croire que non seulement la rétroaction corrective n'était pas nécessaire, mais qu'elle pouvait être nuisible. On pensait qu'elle diminuait les filtres affectifs des élèves de manière à empêcher l'acquisition des connaissances (Krashen, 1985). Grâce à un nombre assez important de travaux de recherche effectués en salle de classe, nous savons aujourd'hui que ce n'est pas le cas. Il n'y a aucune preuve que la rétroaction corrective empêche l'apprentissage. En fait, la recherche empirique montre qu'elle est bénéfique et même nécessaire pour assurer l'apprentissage continu de la L2. Cela confirme ce qu'écrivait Calvé en 1992 dans le titre de son article: « Corriger ou ne pas corriger, là n'est pas la question ». Cette phrase exprimait l'idée que l'on ne devrait pas se demander s'il faut corriger ou non les erreurs, mais plutôt comment les corriger.

IMMERSION EN ACTION

Selon la recherche, non seulement les élèves souhaitent recevoir de la rétroaction corrective, mais celle-ci assure leur progression continue en L2. Les erreurs sont en effet une source importante d'apprentissage si elles sont traitées de façon efficace et réfléchie.

Avant d'aborder la rétroaction corrective, je souhaite souligner que les erreurs font partie intégrante de l'apprentissage d'une langue. Il n'est donc pas question d'encourager les élèves à éviter de faire des erreurs, mais plutôt de leur faire comprendre que leur apprentissage progresse grâce aux erreurs. Elles signalent qu'ils mettent à l'épreuve leurs connaissances et leurs hypothèses linguistiques. Cependant, les élèves peuvent tirer bénéfice de leurs erreurs seulement si elles sont accompagnées d'une rétroaction immédiate. Revenir sur une erreur qui a été faite à un autre moment aurait moins d'impact du fait qu'elle est tirée de son contexte. C'est pourquoi la rétroaction corrective mérite d'être prise au sérieux et appliquée de manière réfléchie.

Ce chapitre explore différents types de rétroaction corrective tout en examinant leurs facteurs d'application. À la fin du chapitre, des exercices sont proposés pour prolonger la réflexion et vous aider à intégrer ces techniques dans votre enseignement.

4.2 LES DIFFÉRENTS TYPES DE RÉTROACTION CORRECTIVE ET LEUR FRÉQUENCE

À quelle fréquence la rétroaction corrective est-elle employée en contexte d'immersion? Chose certaine, cela varie d'une salle de classe à l'autre, et il convient de se demander dans quelle mesure on devrait y recourir. S'il est peu profitable de corriger toutes les erreurs – cela prendrait énormément de temps de classe –, il n'est pas plus souhaitable d'en corriger une trop faible quantité. Les premières observations de classes d'immersion ont d'ailleurs révélé que des rétroactions correctives inconstantes, rares et aléatoires pourraient avoir « des effets négatifs sur l'apprentissage » (Allen, Swain, Harley et Cummins, 1990 : 67). Dans cette étude, seulement 19 % des erreurs grammaticales avaient fait l'objet d'une rétroaction à l'oral. Or, pour progresser dans leur apprentissage, les élèves ont besoin de valider ou d'invalider leurs hypothèses linguistiques de manière continue. Sans rétroaction, ils risquent de développer de nombreuses faiblesses linguistiques.

En 1997, Leila Ranta et moi avons mené une recherche sur les différents types de rétroaction corrective utilisés en immersion ainsi que sur leur impact immédiat sur les élèves. Comparativement aux premières recherches (Allen, Swain, Harley et Cummins, 1990), les quatre enseignants étudiés ont eu recours à la rétroaction corrective plus souvent. Le taux d'énoncés fautifs ayant reçu une rétroaction variait de 49 % à 69 %, pour une moyenne de 62 %. À la lumière de ces données, on peut avancer qu'en contexte d'immersion, il serait possible de traiter entre la moitié et les deux tiers des erreurs. Comme l'a révélé une récente analyse d'une douzaine de contextes scolaires en L2 (Lyster, Saito et Sato, 2013), le nombre de rétroactions correctives peut même varier entre 6 et 41 par heure !

En plus d'observer leur fréquence, Leila Ranta et moi avons identifié six types de rétroaction corrective (Lyster et Ranta, 1997), détaillés dans le tableau de la page suivante.

IMMERSION EN ACTION

Des rétroactions peu nombreuses et aléatoires seraient inefficaces, voire nuisibles pour l'apprentissage d'une L2. Pour progresser, les élèves doivent prendre conscience de leurs hypothèses linguistiques fautives, et ce, de manière continue.

TABLEAU 4.1   Types de rétroaction corrective

Correction explicite On fournit à l'élève la forme correcte tout en lui indiquant qu'il y a eu une erreur.	Élève: Prof:	*Des œufs* [øf]. *Des œufs* [ø]. *On dit pas des œufs* [øf]. *On dit des œufs* [ø]. *On prononce pas le* f.
Reformulation On reformule l'énoncé de l'élève en éliminant l'erreur de façon implicite.	Élève: Prof:	*Le volcan a commencé à érupter.* *À entrer en éruption. OK.*
Incitations — **Demande de clarification** En se servant de phrases telles que *Pardon?* et *Qu'est-ce que tu as dit?*, on prétend ne pas avoir compris.	Élève: Prof:	*Est-ce que je peux faire une carte pour mon petit frère sur le... sur le computer?* *Pardon?*
Répétition de l'erreur On répète l'énoncé fautif de l'élève en modifiant souvent son intonation.	Élève: Prof:	*La guimauve, la chocolat...* *La chocolat?*
Indice métalinguistique On fait un commentaire ou on pose une question qui souligne un problème dans l'énoncé de l'élève.	Élève: Prof:	*Euh, le... le éléphant.* *Est-ce qu'on dit «le éléphant»?*
Sollicitation On essaie de solliciter la forme correcte par des questions ou un début de phrase à compléter.	Élève: Prof:	*C'est comme le boss de toute la Chine.* *Oui, mais est-ce qu'on peut trouver d'autres mots que* boss?

Les quatre derniers types ont été réunis dans la famille des *incitations*, car ils ne corrigent pas les élèves, mais leur donnent des indices pour les aider à s'autocorriger. À l'opposé, les deux premiers types, la correction explicite et la reformulation, fournissent la forme correcte aux élèves.

Le pourcentage d'utilisation de chacun des types de rétroaction est présenté à la figure 4.1. On peut constater que, dans les quatre classes observées, la reformulation était de loin le type de rétroaction le plus utilisé, représentant 54% de toutes les interventions. Les quatre types d'incitation (demande de clarification, indice métalinguistique, sollicitation, répétition de l'erreur) représentaient au total 33% des rétroactions, tandis que la correction explicite n'en représentait que 8%.

On a observé une répartition équivalente dans deux autres contextes immersifs, soit l'immersion anglaise en Espagne et l'immersion japonaise aux États-Unis (Llinares et Lyster, 2014). Dans chacun des trois contextes (immersion en français, en anglais et en japonais), la reformulation était le type de rétroaction le plus fréquent, suivi de l'ensemble des incitations et, ensuite, de la correction explicite. Cette répartition a été confirmée dans diverses autres classes de L2 (Brown, 2014).

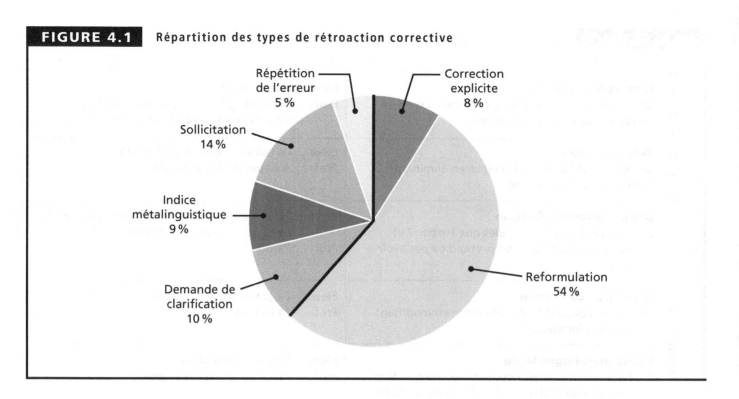

FIGURE 4.1 Répartition des types de rétroaction corrective

Répétition
de l'erreur
5%

Correction
explicite
8%

Sollicitation
14%

Indice
métalinguistique
9%

Demande de
clarification
10%

Reformulation
54%

Voyons maintenant quel est l'effet de ces types de rétroaction sur l'apprentissage.

4.3 L'EFFICACITÉ DE LA RÉTROACTION

4.3.1 CORRECTIONS EFFECTUÉES APRÈS LA RÉTROACTION

La manière la plus directe de mesurer l'efficacité de la rétroaction corrective est d'observer si elle entraîne une correction adéquate par les élèves. Le fait d'attirer leur attention sur leurs erreurs devrait en effet les amener à produire ou à identifier la forme correcte. Or, ce n'est pas toujours le cas. À la suite d'une rétroaction, les réponses des élèves comprennent soit des énoncés corrigés, soit des énoncés ayant encore besoin de correction. Voici quelques exemples de situations correspondant au second cas :

- l'élève commet une erreur différente ;
- l'élève refait la même erreur ;
- l'élève hésite sans trouver la forme appropriée ;
- l'élève reconnaît l'existence de l'erreur par un *oui* ou un *non* pour signifier : *Oui, c'est ça que je voulais dire, mais tu le dis mieux que moi!* (Calvé, 1992).

Dans ces cas, on pourrait remettre en question l'efficacité de la rétroaction, d'autant plus que ces réponses fautives ou insuffisantes ne font pas toujours l'objet d'une seconde rétroaction.

Dans l'étude menée par Leila Ranta et moi, les élèves ont réussi à corriger seulement 27 % de leurs erreurs à la suite d'une rétroaction. Nous avons été surpris de constater que si peu d'interventions avaient porté leurs fruits.

En fait, comme il existe plusieurs types de rétroaction corrective, nous en avons conclu que tous n'ont pas la même efficacité. La reformulation, qui était le type le plus utilisé dans notre étude, a obtenu une bonne correction dans seulement 18% des cas. Les types de rétroaction les plus efficaces étaient, par ordre décroissant: l'indice métalinguistique (44%), la sollicitation (42%), la correction explicite (35%), la demande de clarification (29%) et la répétition de l'erreur (29%).

Quant aux différents types de correction effectuée par les élèves à la suite d'une rétroaction, ils sont identifiés dans le tableau suivant.

TABLEAU 4.2	Types de correction effectuée par les élèves après une rétroaction	
Répétition L'élève répète la reformulation de l'enseignant ou l'enseignante.	Élève: Prof: Élève:	*Diana et son frère, ils ont venu chez moi.* *Sont venus.* *Sont venus chez moi pour jouer.*
Autocorrection L'élève se corrige.	Prof: Élève: Prof: Élève:	*Qu'est-ce qui serait plus grand que toi?* *Le girafe?* *Le girafe?* *La girafe.*
Correction par les pairs Un autre élève produit la forme correcte.	Élève 1: Prof: Élève 2:	*J'ai apporté du* pita bread. *OK, mais* pita bread, *comment tu pourrais dire ça, tu penses?* *Le pain pita.*

Le premier type de correction, la répétition, se produit à la suite d'une reformulation. Quant à l'autocorrection et à la correction par les pairs, elles répondent toujours à des incitations.

Ainsi, les reformulations ne conduisent l'élève qu'à répéter l'énoncé tel qu'il a été repris par l'enseignant ou l'enseignante (sans compter les cas où il n'y a pas de répétition). Cette répétition peut être mécanique et n'est pas nécessairement le signe d'une démarche active et réfléchie de l'élève face à son erreur. Le fait que la reformulation souligne l'erreur de manière implicite rend également son interprétation ambiguë. En revanche, l'autocorrection et la correction par les pairs exigent plus d'effort des élèves, que l'on encourage ainsi à puiser dans leurs propres ressources. La distinction entre les formes correcte et fautive est plus susceptible d'être proceduralisée lors d'un tel exercice.

4.3.2 COMPARAISON DES REFORMULATIONS ET DES INCITATIONS

Force est d'admettre que l'apprentissage d'une L2 se fait à long terme, de sorte que les corrections des élèves immédiatement après la rétroaction ne sont pas nécessairement des preuves d'apprentissage. C'est pourquoi j'ai également entrepris de mesurer l'efficacité à long terme de ces différents

IMMERSION EN ACTION

Le principal type de rétroaction utilisé en immersion, la reformulation, serait le moins efficace, car il sollicite un faible taux de corrections de la part des élèves. Cela est dû en partie à son caractère implicite. De plus, la reformulation n'encourage pas l'élève à faire appel à ses propres stratégies pour se corriger.

types de rétroaction. J'ai effectué une recherche sur un échantillon de 179 élèves de 5e année répartis en 8 classes d'immersion française (Lyster, 2004). Les enseignants abordaient la notion du genre grammatical (voir chapitre 9) et fournissaient des rétroactions de tous les types. La comparaison des résultats des prétests et des posttests a montré que les élèves avaient tiré davantage profit des incitations que des reformulations, surtout en production écrite. Ce constat a également été confirmé par une étude d'Ammar et Spada (2006).

Par ailleurs, dans notre analyse de 15 études en salle de classe, mon étudiant Kazuya Saito et moi avons remarqué que l'ensemble des incitations s'avéraient plus efficaces que la reformulation auprès des jeunes apprenants (Lyster et Saito, 2010). Chez les adultes, toutefois, ces types de rétroaction étaient aussi efficaces les uns que les autres. Il se peut donc que les jeunes élèves profitent davantage d'une rétroaction directe et engageante, telle que les incitations, plutôt que d'une rétroaction implicite et potentiellement ambiguë, comme les reformulations.

À la suite de ces observations, on peut conclure que la répartition des types de rétroaction illustrée à la figure 4.1 (Lyster et Ranta, 1997) n'est sans doute pas la plus efficace. Quelle place respective devrait-on accorder à ces types de rétroaction dans une salle de classe en immersion ? Et, surtout, comment s'assurer qu'on les utilise de manière efficace ?

4.4 UNE RÉTROACTION VARIÉE ET ADAPTÉE AU CONTEXTE

Mes recherches en contexte d'immersion française m'ont amené à plaider contre le recours excessif à la reformulation et en faveur d'une plus grande utilisation de divers types d'incitation. Selon Seedhouse (2004), les enseignants ont une forte préférence pour la reformulation parce qu'elle est rapide et qu'elle évite d'embarrasser les élèves. Cependant, si on leur fait comprendre l'importance d'apprendre de leurs erreurs, les élèves ne devraient pas être gênés d'en faire. Ils devraient même souhaiter les connaître. Une rétroaction directe, comme les incitations, est une façon idéale de renforcer leur apprentissage. Contrairement aux reformulations, les incitations ont l'avantage d'amener systématiquement l'élève à réfléchir à la forme correcte.

Cela ne veut pas dire qu'il faut proscrire la reformulation, mais plutôt que l'on devrait recourir à tous les types de rétroaction, sans compter autant sur la reformulation. D'une part, le fait de reformuler sans cesse les erreurs des élèves et de faire le travail pour eux n'est pas une stratégie efficace pour assurer le développement continu de la L2. D'autre part, inciter les élèves à s'autocorriger en puisant dans ce qu'ils n'ont pas encore acquis sera tout aussi infructueux. L'efficacité de la rétroaction corrective dépend donc d'un emploi de stratégies variées et adaptées aux connaissances des élèves. L'encadré suivant résume les avantages des reformulations et des incitations en contexte d'immersion.

Bénéfices des reformulations et des incitations

Reformulations

- Les reformulations font avancer les leçons quand les formes cibles dépassent les connaissances des élèves.
- Elles fournissent un appui immédiat aux élèves pour réaliser des tâches d'apprentissage et exprimer leur compréhension du contenu.
- Elles facilitent le glissement vers un registre plus disciplinaire ou technique.

(Gibbons, 2003 ; Lyster, 1998 ; Mohan et Beckett, 2001 ; Sharpe, 2006.)

Incitations

- Comme les incitations signalent une erreur à l'élève, elles ne risquent pas d'être perçues comme une simple validation de son message ou une autre façon de dire la même chose.
- En se corrigeant, les élèves profitent non seulement d'une pratique en contexte, mais aussi de la profondeur de traitement nécessaire pour procéduraliser des connaissances.
- Les élèves se rappellent mieux une information lorsqu'ils prennent une part active à sa production que lorsqu'elle est fournie par une source externe.

(de Bot, 1996 ; Clark, 1995 ; Lyster, 1999 ; de Winstanley et Bjork, 2004.)

On peut en tirer la conclusion que les reformulations et les incitations remplissent des fonctions distinctes dans l'enseignement de la L2. Alors que les incitations visent à réactiver des connaissances antérieures, les reformulations servent à étayer la communication lorsque les connaissances nécessaires font défaut. C'est pourquoi un usage réfléchi et ciblé de la rétroaction est un atout majeur en immersion.

Le fait de varier les types de rétroaction et donc le type de traitement cognitif qui s'ensuit favorise la profondeur de traitement et l'application des connaissances (Lightbown, 2008). À l'opposé, une rétroaction peu variée et prévisible est susceptible d'être moins efficace. On recommande d'intégrer, au fil du temps, non pas moins, mais davantage de variété dans l'enseignement (Fanselow, 1987, 1992). Pour vous permettre d'employer la rétroaction de manière variée et réfléchie, voici un tableau qui présente les contextes d'apprentissage appropriés aux reformulations et aux incitations.

IMMERSION EN ACTION

Les reformulations et les incitations ont un rôle pédagogique différent.

- Les reformulations permettent un étayage utile quand les formes requises sont inconnues des élèves.
- Les incitations servent à appliquer des connaissances acquises.

Pour de bons résultats, les reformulations et les incitations devraient être utilisées de façon adaptée au contexte.

TABLEAU 4.3	Contexte d'utilisation des reformulations et des incitations
Quand vaudrait-il mieux utiliser...	
... une reformulation ?	**... une incitation ?**
• Le contenu disciplinaire ou thématique est nouveau.	• Le contenu disciplinaire ou thématique est déjà connu.
• La forme est peu connue.	• La forme est connue.
• L'erreur requiert une analyse complexe.	• L'erreur requiert une analyse simple.
• On peut raccourcir la reformulation pour isoler la forme correcte.	• L'erreur relève d'un choix binaire (ex.: *être/avoir*, *le/la*).
• L'erreur est d'ordre phonologique.	• L'erreur semble être fossilisée.

Une autre façon de rendre la rétroaction efficace est d'utiliser des signes paralinguistiques explicites tels que les gestes, les expressions faciales et les interjections (Lightbown et Spada, 1990; Lightbown, 1991). Cela souligne la fonction corrective de l'intervention.

Maintenant que l'on connaît le rôle distinct des incitations et des reformulations, un dernier aspect doit être traité : la clarté de la rétroaction. En effet, la rétroaction devrait non seulement être appliquée de manière variée et adaptée au contexte, mais aussi être exempte de toute ambiguïté !

Vidéo 4 : L'étayage et la rétroaction corrective

En vidéo d'accompagnement, on peut voir France Bourassa utiliser différents types de rétroaction corrective pour étayer son interaction avec ses élèves de 1re année. Sa façon de réagir à la plupart des erreurs assure que des activités routinières, comme la lecture d'un conte et le partage de ce que les élèves ont fait durant la fin de semaine, deviennent de véritables leçons de français.

En utilisant davantage d'incitations que de reformulations, France amène les élèves à s'impliquer activement dans leur pratique langagière. Par ailleurs, lorsqu'elle lit un conte illustré à haute voix, elle utilise les différentes techniques d'étayage de manière exemplaire pour aider à la compréhension de mots potentiellement inconnus. France montre ainsi le lien étroit entre la rétroaction corrective, l'étayage et le questionnement dans l'approche intégrée réactive.

4.5 LA CLARTÉ DE LA RÉTROACTION

Dans toute situation pédagogique, les enseignants réagissent autant aux énoncés justes qu'à ceux comportant une erreur. Cette réaction correspond à l'étape de l'évaluation dans la séquence IRÉ, où la réponse de l'élève est validée, élaborée ou corrigée. Dans les classes d'immersion, cette réaction a une double fonction, puisqu'elle peut concerner autant la langue que le contenu. C'est ce qui explique que la rétroaction en immersion puisse être équivoque.

À la suite de l'étude menée avec Leila Ranta sur la rétroaction corrective, j'ai entrepris une analyse des mêmes situations d'interaction pour comprendre pourquoi les élèves ne s'étaient pas plus souvent corrigés après de nombreuses interventions (Lyster, 1999). Les résultats de cette analyse se résument ainsi : du point de vue des élèves, force est de constater qu'il existe énormément d'ambiguïtés dans le discours pédagogique.

4.5.1 CONFUSION ENTRE APPROBATION ET REFORMULATION

En immersion, l'enseignant ou l'enseignante manifeste souvent son approbation pour encourager les élèves à s'exprimer et pour les soutenir dans leurs efforts. On entend par approbation :

a) des validations telles que *oui, OK, c'est ça* ;
b) des félicitations telles que *bravo, excellent, très bien* ;
c) la répétition d'un énoncé corrigé, accompagné ou non de commentaires métalinguistiques.

Je supposais que bon nombre d'approbations viendraient en réponse aux énoncés corrigés des élèves. Étonnamment, j'ai constaté qu'un nombre important d'approbations survenaient en réponse aux énoncés fautifs des élèves, sans qu'il y ait eu de rétroaction corrective. En voici un exemple :

Élève :	*Moi, j'ai arrivé au fin.*
Prof :	*OK. <u>Très bien</u>.*

Les approbations accompagnaient également les reformulations, mais sans permettre à l'élève de répéter la forme correcte de l'énoncé. De façon générale, l'approbation était donnée tout de suite après l'erreur et avant la reformulation :

Élève :	*Cabine à sucre.*
Prof :	*<u>Parfait</u>. Alors la cabane à sucre.*

Dans de tels contextes, les approbations servent uniquement à confirmer le contenu du message de l'élève et non sa forme. Il s'agit là, bien sûr, d'un phénomène compréhensible dans le contexte de l'immersion, où on valide souvent le contenu sans prêter attention à la forme. On veut ainsi encourager les élèves à s'exprimer malgré leurs faiblesses linguistiques.

Il faut toutefois reconnaître l'ambiguïté de ces approbations du point de vue d'une personne apprenant une L2. Dans le cas où l'approbation sert à valider le contenu et la reformulation à rejeter la forme, il est probable que l'élève retienne davantage la validation que la modification de l'énoncé. En outre, les approbations semblent restreindre les possibilités d'apprentissage, car elles mettent un point final à l'interaction. Elles n'incitent pas l'élève ni le reste du groupe à poursuivre ou à approfondir la réflexion (Wong et Waring, 2009).

4.5.2 CONFUSION ENTRE REFORMULATION ET RÉPÉTITION NON CORRECTIVE

Toujours dans la même étude de suivi, j'ai constaté que, du point de vue des élèves, la répétition sert aussi à faire entendre une intervention au reste de la classe, comme dans l'exemple suivant :

Élève :	*Un livre populaire ?*
Prof :	*<u>Un livre populaire</u>, très bien.*

Ce genre de répétition dite *non corrective* est tout à fait normale, puisqu'elle remplit des fonctions importantes dans le discours de classe (Weiner et Goodenough, 1977) :

- elle valide le contenu de l'énoncé de l'élève ;
- elle rediffuse le message de l'élève pour que toute la classe l'entende.

> **IMMERSION EN ACTION**
>
> Comme la rétroaction en immersion peut concerner autant la forme que le sens, le message pédagogique est parfois ambigu. C'est le cas lorsque l'approbation du contenu d'un énoncé est suivie de sa reformulation. L'élève risque de ne retenir que l'approbation et non l'erreur de langue.

Elle peut cependant faire concurrence aux reformulations des énoncés comportant une erreur. Devant les deux types de reprise, l'élève doit deviner si le message pédagogique concerne la forme ou le sens. Prenons par exemple les échanges suivants tirés de mon étude:

Élève:	*C'est le assistante.*
Prof:	*C'est <u>l'assistante</u>.*

Élève:	*C'est le cerf de Virginie.*
Prof:	*Donc <u>le cerf de Virginie</u>.*

Dans les deux cas, les répliques de l'enseignante valident le sens et la véracité de ce que disent les élèves. Il n'est toutefois pas certain que, dans le premier cas, l'élève ait compris que *le assistante* ne se dit pas en français. Quant au second élève, rien ne lui assure clairement que son énoncé est tout à fait correct étant donné que l'enseignante l'a modifié (en remplaçant *C'est* par *Donc*).

Ensemble, les reformulations et les répétitions non correctives suivaient presque un tiers des énoncés des élèves. Cela montre qu'une grande part du discours pédagogique peut sembler ambiguë du point de vue de la classe. Pour diminuer cette tendance, Alexander (2003) suggère que l'enseignant ou l'enseignante invite d'autres élèves à commenter les réponses de leurs camarades de classe. Cette approche a le mérite de les encourager à être attentifs et à participer activement à l'évaluation des réponses. De son côté, Calvé (1992) propose d'utiliser en priorité les incitations pour favoriser l'autocorrection et la correction par les pairs. À la différence de la reformulation, elles ne risquent pas d'être perçues comme une simple validation du message de l'élève. Cependant, lorsque la reformulation s'avère nécessaire, il est possible d'en diminuer l'ambiguïté.

Comment rendre la reformulation plus efficace ?

- La reformulation s'avère plus efficace lorsqu'elle isole la forme correcte par une intonation accentuée ou une réduction de l'énoncé de l'élève.
- Le fait de répéter l'erreur avant de la reformuler facilite la comparaison des formes correcte et fautive.

(Doughty et Varela, 1998; Loewen et Philp, 2006; Sheen et Ellis, 2011.)

Maintenant que les composantes d'une rétroaction corrective efficace et variée ont été explorées, il est temps de mettre ces notions en application. La section suivante propose une série d'exercices pour vous permettre de réfléchir à vos pratiques correctives tout en vous familiarisant avec celles qui sont nouvelles. Notez que cette section n'a pas été conçue pour être complétée d'un seul trait, mais de manière progressive pour favoriser l'assimilation de nouvelles notions. Pour le corrigé, voir l'annexe B.

4.6 RÉFLEXIONS

EXERCICE 4.1 Les types de rétroaction

Quel type de rétroaction suit les erreurs encadrées dans les interactions suivantes?

1. Prof: *Le porc-épic?*
   Élève: *C'est* │les piques│ *sur le dos. C'est…*
   Prof: *Les piques. Est-ce qu'on dit «les piques»?* ➜ _____
   Élève: │Les épiques│.
   Prof: *Les…?* ➜ _____
   Élève: *Les piquants.*

2. Prof: *Alors, qu'est-ce que vous avez fait hier, pendant votre journée de congé?*
   Élève: *Allée pour voir un film, là. Pis après* │je allée│ *pratiquer.*
   Prof: *Je suis allée.* ➜ _____
   Élève: *Je suis allée… Comment tu dis «bowling»?*

3. Élève: *Ben moi, euh, ma grand-mère fait des* │cadres,│ *alors elle m'a aidé un peu.*
   Prof: *Elle fait quoi, des…?* ➜ _____
   Élève: *Des* │cadres│.
   Prof: *Des cadres.* ➜ _____
   Élève: *Des peintures.*
   Prof: *Des peintures, puis elle les encadre.*

4. Élève: *Pis ma grand-mère a acheté* │du laine│ *pour faire, euh… tu sais…*
   Prof: *Du laine?* ➜ _____
   Élève: *De la laine.*
   Prof: *Pour faire quoi?*

5. Élève: *Non, euh, le* │clue│.
   Prof: *Pardon?* ➜ _____
   Élève: *Euh…*
   Prof: *L'indice. On appelle ça un indice.* ➜ _____

6. Prof: *Où est-ce que ça vit, un animal domestique?*
   Élève: *Dans* │un maison│.
   Prof: *Dans un maison? Attention.* ➜ _____
   Élève: *Dans une maison.*
   Prof: *Oui, dans une maison. Attention à ton déterminant.*

7. Élève: *Oh, c'est un très bon film. Puis je savais que tu* │vas aller│ *aimer.*
   Prof: *«Que tu allais l'aimer», pas «que tu vas aller l'aimer».* ➜ _____

8. Prof: *OK, tu les manges comment, tes bagels?*
   Élève: *Ah… avec* │de fromage│.
   Prof: *Avec du fromage.* ➜ _____

EXERCICE 4.2 La rétroaction adaptée au contexte

Selon le contexte indiqué, est-ce la reformulation ou l'incitation qui conviendrait le mieux aux erreurs encadrées?

1. La forme devrait être déjà connue.
   Élève: *Euh... j'ai un nouveau* ⊡bike⊡ *...* ➜ _____

2. L'erreur est d'ordre phonologique.
   Élève: *Le coyote, le bison et la* ⊡groue⊡ *.* ➜ _____

3. Le contenu disciplinaire est nouveau.
   Prof: *Et comment est-ce qu'on appelle l'os ici qui descend dans le dos, qui protège tous les nerfs pour qu'on puisse bouger ? Puis y a plein de petits disques dedans...*
   Élève: *Euh, le... le* ⊡spine⊡ *.* ➜ _____

4. L'erreur relève d'un choix binaire.
   Prof: *Qu'est-ce qui serait plus grand que toi ?*
   Élève: ⊡Le girafe⊡ *?* ➜ _____

5. L'erreur semble être fossilisée.
   Élève: *Diana et son frère, ils* ⊡ont venu⊡ *chez moi.* ➜ _____

6. La structure est complexe.
   Élève: *Oui, il* ⊡a donné des personnes⊡ *un biscuit.* ➜ _____

EXERCICE 4.3 La clarté de la rétroaction

L'échange suivant a eu lieu dans un cours de sciences en 4ᵉ année où il était question du cycle de l'eau. Voici la manière dont on a noté les erreurs, reformulations, approbations et répétitions non correctives.

- ⊡Erreur⊡
- <u>Reformulation</u>
- <u>Répétition non corrective</u>
- Approbation

Lisez l'échange et suggérez des modifications pour éliminer l'ambiguïté de certaines reformulations.

Prof: *Qu'est-ce que c'est, un ruisseau, encore ? Oui ?*
Élève 1:   *C'est comme un petit lac.*
Prof: *Un petit lac, qu'on a dit ?*
Élève 2:   *C'est* ⊡un petit rivière⊡ *.*
Prof: *C'est ça . C'est plus <u>une petite rivière</u>, OK ? Parce qu'un lac, c'est comme un endroit où il y a de l'eau, mais c'est un...?*
Élèves: *Comme un cercle.*

EXERCICE 4.3 (suite)

Prof :	*C'est <u>comme un cercle</u> [...]. Puis là, Perlette [une goutte d'eau] se retrouve près d'une forêt. Et qu'est-ce qu'ils font dans la forêt ? William ?*
Élève 3 :	*Ils coupent des arbres.*
Prof :	*<u>Ils coupent des arbres.</u> Et quand on coupe des arbres et qu'on est en plein milieu de la forêt, est-ce qu'on peut amener un camion puis mettre le bois dedans ? Qu'est-ce qu'on fait pour transporter le bois ?*
Élève 4 :	*Euh, tu mets le bois dans l'eau et les, euh, comment dis-tu, euh, carries ?*
Élèves :	*Emporte.*
Prof :	*<u>Emporte</u>, bien.*
Élève 4 :	*Emporte le arbre au un place puis un autre personne qui met le bois.*
Prof :	*C'est ça . Alors, <u>on met le bois dans la rivière pour qu'il soit transporté d'un endroit à l'autre.</u> [...] Alors là, Perlette décide de demander au soleil de venir la réchauffer. Pourquoi pensez-vous qu'elle veut se faire réchauffer ? Oui ?*
Élève 5 :	*Parce qu'|elle est trop froid|.*
Prof :	*Parce qu'<u>elle a froid</u>, OK . Oui ?*
Élève 6 :	*|Elle est trop peur|.*
Prof :	*Parce qu'<u>elle a peur</u>, oui .*

EXERCICE 4.4 Des incitations infructueuses

Dans cet échange en 4ᵉ année, l'enseignante demande aux élèves en quoi les maisons de leur pays d'origine sont construites. En réponse, un élève décrit la maison de ses grands-parents en Grèce.

1. **Soulignez les différentes incitations utilisées par l'enseignante.**
2. **Déterminez pourquoi celles-ci ne semblent pas réussir.**

Élève :	*Oui, mais la maison que mes grands-parents vivent en dedans, c'est avec les briques.*
Prof :	*OK. « La maison que mes grands-parents vivent en dedans », ça ne se dit pas comme ça en français. Comment tu vas dire ça ?*
Élève :	*Euh...*
Prof :	*S'ils y vivent, est-ce qu'ils sont en dedans ?*
Élève :	*Oui.*
Prof :	*Alors, c'est pas nécessaire de dire « en dedans ». La maison où mes grands-parents vivent. Hein ? Dans laquelle mes grands-parents vivent. Très bien.*

EXERCICE 4.5 Réflexions sur la rétroaction corrective

De manière autonome ou de préférence avec vos collègues, réfléchissez à votre pratique de rétroaction corrective en répondant aux questions suivantes. Pour des résultats optimaux, il est conseillé de filmer et d'analyser vos interactions en classe avant de remplir le questionnaire.

1. **À quelle fréquence utilisez-vous les six types de rétroaction présentés?**

		Souvent	Parfois	Jamais
	Correction explicite			
	Reformulation			
Incitations	Demande de clarification			
	Répétition de l'erreur			
	Indice métalinguistique			
	Sollicitation			

2. **Évaluez les types d'erreurs que vous avez tendance à corriger à l'oral. À quelle fréquence le faites-vous (souvent, parfois, jamais)? Pour quelles raisons?**

Types d'erreurs	Fréquence	Raisons
Grammaire		
Vocabulaire		
Prononciation		

3. **Dans quels contextes avez-vous tendance…**
   a) … à ignorer une erreur?
   b) … à reformuler un énoncé erroné?
   c) … à encourager l'élève à se corriger par des incitations?

4. **Évaluez l'efficacité de vos rétroactions.**
   a) Transcrivez l'erreur de l'élève.
   b) Notez le type de rétroaction que vous avez utilisé.
   c) Cotez la correction de l'élève: bonne (+), partielle (±), insuffisante ou fautive (–).
   d) Expliquez la raison de l'efficacité ou de l'inefficacité de la rétroaction.

Erreur	Rétroaction	Correction	Explication

5. **Avez-vous tendance à fournir davantage de rétroaction corrective dans un cours de français que dans une autre matière? Pourquoi?**

6. **Comment l'âge et le niveau scolaire de l'élève peuvent-ils influencer votre façon de fournir de la rétroaction?**

PARTIE 3

L'APPROCHE INTÉGRÉE PROACTIVE

L'approche intégrée proactive consiste à planifier des séquences d'enseignement où la langue et le contenu sont étroitement liés. Les quatre phases de la séquence proactive sont expliquées dans le premier chapitre de cette partie. Chacun des chapitres suivants aborde une difficulté linguistique propre à l'apprentissage du français L2. Puisant dans des recherches effectuées en classe d'immersion, des réflexions et des exemples de séquences proactives sont proposés pour améliorer l'utilisation de ces traits linguistiques.

CHAPITRE 5

Qu'est-ce que l'approche intégrée proactive?

OBJECTIFS

- Connaître les quatre phases de la séquence d'enseignement proactive

- Comprendre la place de la langue et du contenu dans la séquence et le contexte immersif

5.1 INTRODUCTION À L'APPROCHE INTÉGRÉE PROACTIVE

Dans la partie précédente, on a vu comment l'approche réactive peut amener les élèves à se concentrer sur la langue grâce à des interventions en apparence spontanées et non planifiées. Dans cette partie, une approche différente, dite proactive, est explorée. Elle consiste en des séquences d'enseignement *planifiées* portant à la fois sur la langue et le contenu. Ces séquences permettent d'attirer l'attention des élèves sur des traits linguistiques qui, autrement, ne seraient pas abordés en contexte disciplinaire. L'approche proactive s'avère particulièrement prometteuse pour les éléments de la langue qui ne s'apprennent pas facilement d'une manière implicite.

L'approche intégrée proactive consiste à planifier des séquences d'enseignement portant à la fois sur la langue et le contenu. La séquence proactive comporte quatre phases : la perception, la conscientisation, la pratique guidée et la pratique autonome.

Concrètement, la séquence type de l'approche intégrée proactive est constituée de quatre phases : la perception, la conscientisation, la pratique guidée et la pratique autonome. Chaque phase comporte au moins une situation d'apprentissage que nous appellerons *activité*. Ces quatre phases devraient idéalement s'effectuer en séquence, mais il est possible de les réaliser dans un ordre différent ou même individuellement. L'idée est d'en faire un usage flexible pour qu'elles s'adaptent à votre situation et aux besoins de vos élèves.

Une séquence d'enseignement proactive vise l'atteinte d'objectifs à la fois disciplinaires et linguistiques. Dans la phase de la perception, l'accent est mis sur le contenu disciplinaire, qui fournit un contexte signifiant pour l'apprentissage de traits linguistiques. La conscientisation et la pratique guidée focalisent ensuite l'attention sur la langue pour favoriser l'assimilation

---

FIGURE 5.1 Séquence d'enseignement proactive

PERCEPTION
Les élèves lisent ou écoutent un texte relié à la discipline ou thématique étudiée. Des traits linguistiques y sont mis en évidence.

CONSCIENTISATION
Les élèves sont amenés à prendre conscience de régularités dans les traits linguistiques observés.

PRATIQUE GUIDÉE
Les élèves mettent en pratique ces régularités dans une activité de production* encadrée par l'enseignant ou l'enseignante.

PRATIQUE AUTONOME
Dans une activité de production* en lien avec le contenu étudié, les élèves réinvestissent cet apprentissage linguistique de manière autonome.

* Les activités de production englobent autant la production orale qu'écrite.

GLOSSAIRE

Les **régularités linguistiques** sont des principes qui régissent l'utilisation des traits linguistiques. Dans l'approche intégrée, ce terme est préféré à la notion de règle.

de ces traits. Enfin, la pratique autonome revient au contenu disciplinaire en offrant une occasion signifiante d'appliquer ces apprentissages.

Dans la section suivante, chacune des phases de la séquence proactive est détaillée et assortie d'un exemple. Cette section peut servir de guide pour votre planification pédagogique et la lecture des prochains chapitres.

5.2 LA SÉQUENCE D'ENSEIGNEMENT PROACTIVE EN PRATIQUE

La séquence d'enseignement qui servira d'exemple est tirée d'une étude menée dans des cours d'histoire en 5ᵉ année (Lyster, 2004). L'objectif linguistique était le genre grammatical et l'objectif disciplinaire, la compréhension des difficultés de vie en Nouvelle-France. Je tiens à préciser qu'une seule séquence d'enseignement sur le genre grammatical (ou encore tout autre trait linguistique) ne pourrait suffire à assimiler cette notion. Il est très important que les élèves puissent réinvestir cet apprentissage dans d'autres activités ou contextes pour que cela donne des résultats probants. À titre d'exemple, les élèves de cette étude ont participé à beaucoup plus d'activités que celles-ci, et ce, sur une période de cinq semaines.

La première étape dans la planification d'une séquence d'enseignement proactive est de déterminer les **régularités linguistiques** qui seront observées. C'est en effet grâce à la mise en évidence de ces régularités que les élèves pourront assimiler de nouvelles connaissances en L2. Avant d'entrer dans la séquence, on verra donc quelques régularités du genre grammatical, qui est notre objectif linguistique.

5.2.1 OBJECTIF LINGUISTIQUE : LE GENRE GRAMMATICAL

On sait que le genre grammatical est un défi certain pour les élèves en immersion. Les grammairiens et les enseignants prétendent habituellement que la relation entre un nom et son genre est purement arbitraire, sauf bien sûr quand le nom désigne un référent animé (ex. : *un loup, une louve*; *un cuisinier, une cuisinière*). Pourtant, le genre des noms, qu'ils soient animés ou inanimés, est déterminé en grande partie par des règles et des caractéristiques morphologiques.

Dans mon analyse d'un corpus de près de 10 000 noms tirés du dictionnaire *Le Robert Junior illustré* (Lyster, 2006), j'ai découvert que 80 % de ces noms avaient une terminaison qui en prédit le genre, alors que seulement 20 % avaient une terminaison ambiguë. Voici sept régularités observées.

TABLEAU 5.1   Marqueurs de genre dans la terminaison des noms

Régularité	Exemple
99 % des 675 noms se terminant par -an, -anc, -and, -ant, -ang, -ent, -amp, -emps ou -aon sont masculins.	*un continent*
97 % des 245 noms se terminant par -age ou -ège sont masculins.	*un passage*
94 % des 256 noms se terminant par -anne, -enne, -onne, -une, -ine, -aine, -eine, -erne ou -urne sont féminins.	*la famine*
98 % des 736 noms se terminant par -ion sont féminins.	*la fondation*
97 % des 235 noms se terminant par -euse, -ouse, -ase, -aise, -èse, -oise, -ise, -yse, -ause ou -use sont féminins.	*une église*
96 % des 302 noms se terminant par -ière, -ure ou -eure sont féminins.	*la fourrure*
98 % des 358 noms se terminant par -ie sont féminins.	*une colonie*

La séquence suivante illustre une façon d'intégrer ces régularités linguistiques dans l'enseignement disciplinaire. Notez que, dans le chapitre 9, le genre grammatical sera traité plus en profondeur.

5.2.2 PERCEPTION: LA MISE EN ÉVIDENCE

Dans la première phase de la séquence, la perception, les élèves lisent ou écoutent un texte dans lequel les traits linguistiques ciblés sont mis en évidence. Dans les textes écrits, les traits linguistiques peuvent être mis en évidence par le **gras**, l'*italique*, le <u>soulignement</u>, les MAJUSCULES, une **police** ou une couleur différente. Dans les textes audio, on privilégie une intonation exagérée ou une fréquence accrue du trait étudié. Vous pouvez créer un texte à cette fin ou remanier un texte existant pour l'adapter à vos besoins.

À cette étape, les élèves se concentrent davantage sur le contenu disciplinaire ou thématique que sur la langue. Ils sont appelés à prêter attention aux traits linguistiques ciblés, mais n'ont pas à détecter de régularités. Vous avez le choix, selon les circonstances, de demander aux élèves ce qui leur saute aux yeux ou d'attendre la prochaine étape pour le faire.

Dans la séquence qui sert d'exemple, l'activité de perception porte sur la première colonie de Nouvelle-France. Les éléments en gras mettent en évidence le lien entre la terminaison de certains noms et leur genre grammatical (visible grâce au déterminant). Quant au soulignement, il permet de repérer facilement les noms.

La fondation de Québec

Après avoir reçu **la** mission d'établir **une** colonie en Nouvelle-France, Samuel de Champlain a choisi, pour **un** établissement définitif, le site actuel de la ville de Québec. Cet endroit avait **un** grand avantage : **la** fourrure y était très accessible. De plus, **la** colonie se situait sur le fleuve Saint-Laurent, ce qui permettait de pénétrer dans **le** continent et peut-être même de trouver **un** passage vers **la** Chine.

La vie dans **la** colonie était très dure. **Le** défrichement de la forêt était difficile et **la** nourriture manquait. Les colons risquaient donc de mourir de **la** famine ou encore du scorbut, **une** maladie très grave. Pour survivre, la majorité des colons avaient besoin de **la** marchandise envoyée de France. Au fil des années, **la** population de **la** colonie a augmenté, et **le** défrichement est devenu moins difficile.

Aujourd'hui, sur la place Royale à Québec, on peut toujours visiter Notre-Dame-des-Victoires, **une** église construite en 1688 sur **la** fondation de la demeure de Champlain.

(Source : Larose, Le Petitcorps, Jutras et Bissonnette, 1994.)

5.2.3 CONSCIENTISATION : LA DÉCOUVERTE DE RÉGULARITÉS

La seconde phase de la séquence, la conscientisation, amène les élèves à prendre conscience de régularités dans les traits linguistiques observés plus tôt. Il importe toutefois de souligner que la détection d'un *pattern* l'emporte sur la formulation d'une règle. À cette phase, on s'attend à ce que les élèves focalisent davantage leurs efforts sur la langue. Pour les amener à une telle réflexion, on peut leur proposer des jeux linguistiques ou des tâches de découverte inductive. Voici quelques idées de tâches possibles :

- classifier les éléments du même type ;
- déduire les régularités linguistiques ;
- prendre part à une discussion métalinguistique ;
- comparer des éléments différents.

Il est toutefois important d'insister sur la détection de régularités et non pas sur la mémorisation de règles.

 Pour faire suite à l'activité de perception précédente, on demande aux élèves de travailler en paires pour classer les noms soulignés dans le texte. Ils doivent transcrire les noms selon leur terminaison et indiquer s'ils sont masculins ou féminins. À partir des résultats, ils découvrent quelques régularités linguistiques du genre grammatical.

Terminaison	Noms	Genre
-age		
-ion		
-ent		
-ine		
-ie		
-ise		
-ure		

5.2.4 PRATIQUE GUIDÉE : LA PRODUCTION DIRIGÉE

Dans la phase de la pratique guidée, les élèves mettent à l'épreuve les régularités qu'ils viennent de découvrir. Ils exécutent une activité de production où ils sont guidés de manière à bien employer les traits linguistiques ciblés. Cette activité peut prendre la forme d'un jeu interactif, car les élèves ont besoin de soutien dans leur apprentissage. C'est un moment idéal pour leur fournir de la rétroaction corrective. Comme cette phase vise à renforcer la conscience métalinguistique, la langue reste au premier plan.

L'activité proposée à la suite du tableau sur les terminaisons est un jeu de devinettes oral. Les élèves doivent trouver le nom décrit dans de courtes définitions et lui associer le bon déterminant, sinon ils sont éliminés. Ils sont ainsi invités à explorer ce qu'ils viennent d'apprendre sur le genre grammatical tout en révisant le contenu de leur leçon d'histoire. Voici quelques exemples de devinettes.

- *Je couvre certains mammifères. J'ai été très recherchée pendant l'établissement de la Nouvelle-France.* → **La fourrure**.
- *Le scorbut, la cause de beaucoup de morts en Nouvelle-France, en est un exemple.* → **Une** *maladie*.
- *Les colons devaient le faire pour construire des maisons et préparer la terre à la culture.* → **Le** *défrichement*.
- *Je suis la cause de la mort des colons lorsqu'ils manquaient de nourriture.* → **La famine**.
- *Le fleuve Saint-Laurent permettait peut-être de trouver un passage vers moi.* → **La Chine**.

Pour qu'une telle activité donne de bons résultats, il faut absolument que ce soient les élèves qui utilisent le bon déterminant. En immersion, ce rôle est souvent assumé par les enseignants, qui répondent spontanément à un énoncé comme *famine* par une reformulation comme *oui, la famine*. Le fait d'insister sur l'utilisation du bon déterminant est la seule façon de sensibiliser les élèves au genre grammatical et de les rendre plus autonomes. Par ailleurs, le fait de les habituer à employer le déterminant et le nom comme un tout les rapproche de l'apprentissage qu'en font les locuteurs du français L1.

5.2.5 PRATIQUE AUTONOME : LA COMMUNICATION SIGNIFIANTE

La pratique autonome ferme la séquence en revenant au contexte disciplinaire ou thématique qui a servi de point de départ. Dans une activité de production liée à la discipline ou la thématique étudiée, les élèves réinvestissent les traits linguistiques qu'ils ont appris, mais de façon moins encadrée. Ce contexte plus libre favorise une utilisation plus autonome de la L2. L'idée est de les amener à développer leur confiance en français dans une situation d'apprentissage signifiante. Même si la pratique autonome met l'accent sur le contenu, elle reste propice à la rétroaction corrective. Il ne faut surtout pas que les objectifs linguistiques soient mis de côté.

Pour terminer la séquence d'enseignement sur la Nouvelle-France et le genre grammatical, on demande aux élèves de faire une production orale ou écrite sur l'un des sujets suivants.

- *Comparez les attitudes d'aujourd'hui et de la Nouvelle-France à l'égard de la mode de **la fourrure**.*

- *Discutez de ce que signifiait la possibilité d'**un passage** vers **la Chine** à l'époque de la Nouvelle-France.*

- *Comparez les attitudes d'aujourd'hui et de la Nouvelle-France à l'égard **du défrichement** de la forêt.*

La pratique autonome est l'aboutissement des apprentissages réalisés dans les autres phases de la séquence. C'est lors de la pratique autonome que les objectifs disciplinaire et linguistique se réunissent. C'est pourquoi la planification à rebours se prête parfaitement à l'approche proactive. Vous devez prévoir chacune des phases de manière à préparer pleinement les élèves à la pratique autonome.

Pour vous aider à planifier des séquences d'enseignement proactives, un gabarit est fourni à l'annexe C. Vous trouverez également dans les prochains chapitres d'autres exemples de séquences ciblant différents traits linguistiques.

5.3 INCORPORER L'ENSEIGNEMENT DE LA LANGUE DANS LES AUTRES MATIÈRES

La figure suivante représente la séquence proactive en précisant le rôle prépondérant de la langue ou du contenu dans chacune des phases. Entre parenthèses sont suggérés des cours dans lesquels ces phases peuvent s'inscrire.

FIGURE 5.2 Rôle de la langue et du contenu dans la séquence proactive

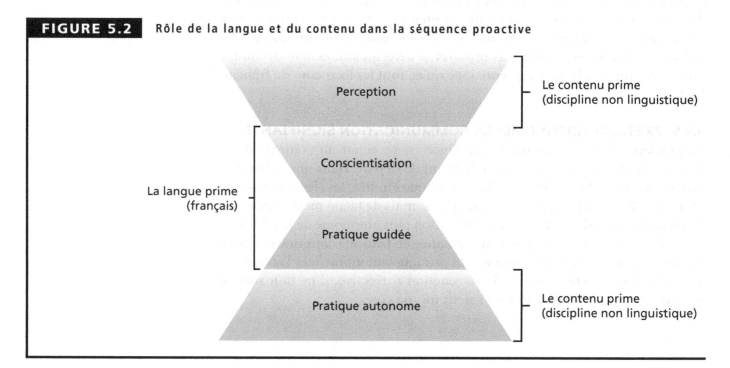

On peut voir que le contenu prime au début et à la fin de la séquence, alors que la langue prime au centre. Les formes évasées aux extrémités illustrent un contenu plus large, tandis que le rétrécissement au centre signale une focalisation étroite sur la langue.

Ce schéma rappelle celui en forme de sablier proposé par Gibbons (2015 : 227) dans son livre portant sur l'étayage. Pour s'assurer que la focalisation sur la langue se déroule dans un contexte signifiant, Gibbons propose que les enseignants conduisent leurs élèves :

a) du général au particulier pour revenir au général ;
b) du sens à la forme pour revenir au sens.

Une façon d'aborder davantage la langue est de l'intégrer dans les cours des autres matières. Dans la séquence proactive, la perception et la pratique autonome se prêtent parfaitement à d'autres disciplines, alors que la conscientisation et la pratique guidée constituent une occasion idéale pour l'enseignement de la langue. On évite ainsi que la langue soit abordée de manière décontextualisée. Cette planification est relativement facile en immersion lorsque l'on enseigne à la fois le français et d'autres disciplines. Si vous partagez ces responsabilités avec d'autres enseignants, c'est là que la collaboration entre collègues joue un rôle clé (voir le chapitre 12).

Il faut toutefois souligner que la séquence proactive pourrait se dérouler intégralement dans un cours de français. C'est que les activités langagières en français impliquent habituellement toute une gamme de thèmes et de sujets intéressants et motivants. Autrement dit, le cours de français comporte lui aussi un contenu disciplinaire qui est non seulement linguistique, mais aussi thématique. L'approche intégrée proactive permet de réconcilier ces deux volets du cours de français, et ce, de manière fluide et bénéfique. Les résultats qui ont été observés sur le terrain le confirment. Comme on le verra dans la section suivante, la séquence proactive a fait ses preuves et constitue un excellent outil pour relever les défis de l'immersion française.

Vidéo 5 : Une séquence proactive en sciences et en français

Un exemple de séquence proactive en 5e année est disponible en vidéo. L'objectif disciplinaire est de comprendre ce qui rend les structures de bâtiments durables et solides. L'objectif linguistique est de connaître les fonctions de la préposition *en*, comme désigner l'emplacement (*La Tour CN est en Ontario*) ou le matériau (*La Tour CN est en béton et en acier*).

Dans la phase de perception, Kim Doucet fait lire différents textes sur les structures de bâtiments, puis attire l'attention des élèves sur les utilisations de *en* lors de la conscientisation. La pratique guidée est un jeu de style Jeopardy qui oblige chaque équipe à identifier un bâtiment célèbre et, pour gagner des points bonis, à préciser où il est situé et en quoi il est construit. Comme pratique autonome, les élèves doivent choisir un de ces bâtiments et rédiger un texte sur son emplacement et ses matériaux. À diverses reprises dans la séquence, les élèves font des expériences (comme la construction de leurs propres tours) pour tester leurs hypothèses sur les structures.

Observez le déroulement de la vidéo. Qu'est-ce qui pourrait être amélioré ?

Une **étude quasi expérimentale** compare un groupe d'élèves recevant un type d'enseignement particulier avec un autre recevant l'enseignement habituel. Des prétests et des posttests sont effectués par les élèves des deux groupes avant et après l'intervention pédagogique. Idéalement, des posttests différés sont administrés plusieurs semaines plus tard pour évaluer l'apprentissage à long terme.

5.4 L'EFFICACITÉ DE L'APPROCHE INTÉGRÉE PROACTIVE

Plusieurs études menées en classe d'immersion confirment que la séquence d'enseignement proactive est non seulement réalisable, mais bénéfique. Entre 1989 et 2013, sept **études quasi expérimentales** ont comparé des groupes d'élèves exposés à l'approche proactive avec d'autres recevant un enseignement régulier (voir l'annexe D). Dans 31 tests sur 40, les élèves ayant bénéficié de l'approche proactive ont obtenu de meilleurs résultats. Cette donnée se confirme même dans les tests administrés plusieurs semaines après l'intervention pédagogique. Cela signifie que, dans 75 % des cas, l'approche intégrée proactive a permis aux élèves d'améliorer leurs compétences en français.

En ce qui concerne les 25 % de tests où il n'y a pas eu de différence significative entre les deux groupes, plusieurs causes peuvent être avancées. La plus évidente est la nature complexe et dynamique de l'enseignement et de l'apprentissage des langues. Les élèves ne retiennent pas toujours ce qu'on leur enseigne et il arrive même qu'ils apprennent ce qu'on ne leur a pas enseigné ! Certaines études ont également révélé des contraintes qui ont limité les effets bénéfiques des activités. Par exemple, dans leur étude sur le conditionnel, Day et Shapson (1991) ont noté que les élèves avaient tendance à éviter d'employer ce temps de verbe lorsqu'ils discutaient en équipe. Ces défis rencontrés sur le terrain seront abordés dans le reste de cette partie.

Les prochains chapitres ont été conçus dans le but d'explorer les difficultés propres à l'enseignement du français L2. Ils sont issus de recherches ancrées dans la réalité de l'immersion et fournissent des outils concrets pour remédier à ces difficultés. Chaque chapitre aborde un trait linguistique dont l'apprentissage peut poser problème en français :

- les temps du passé (chapitre 6) ;
- le conditionnel (chapitre 7) ;
- les verbes de mouvement (chapitre 8) ;
- le genre grammatical (chapitre 9) ;
- les pronoms sujets et objets de la 3e personne (chapitre 10) ;
- les pronoms d'adresse (chapitre 11) ;
- la formation des mots (chapitre 12).

La difficulté propre à chaque trait linguistique est étudiée dans la section « Problématique » des chapitres. Dans la section « Réflexions », des activités vous sont proposées afin de poursuivre l'analyse. Finalement, la section « Application » comprend des exemples de séquences proactives pour aborder les traits linguistiques ciblés. Ces exemples visent à vous donner des propositions concrètes d'activités. Toutefois, l'objectif est d'encourager la créativité dans la planification de vos séances et de laisser libre cours à vos idées !

CHAPITRE 6

Les temps du passé

OBJECTIFS

- Comprendre les problématiques liées à l'usage des temps du passé en immersion

- Différencier les fonctions du passé composé et de l'imparfait

- Mettre en œuvre des moyens concrets pour amener les élèves à bien utiliser ces temps

6.1 PROBLÉMATIQUE

Comme on l'a vu au chapitre 1, un enseignement immersif centré sur le contenu risque d'offrir un éventail limité de **formes** et de **fonctions** linguistiques. Cela a un impact direct sur l'apprentissage des élèves, qui sont alors privés des outils nécessaires pour s'exprimer avec précision. C'est particulièrement le cas en ce qui a trait aux temps des verbes. En comparant les résultats d'études réalisées en Ontario (Swain, 1988) et au Québec (Lyster, 2007), on peut constater, par exemple, que les trois quarts des temps verbaux utilisés par les enseignants en immersion française sont le présent et l'impératif. Quant aux temps comme le passé, le futur et le conditionnel, ils ne représentent qu'une maigre part du discours pédagogique. La figure suivante indique les proportions respectives des temps verbaux utilisés par les enseignants en immersion.

FIGURE 6.1 Répartition des temps verbaux utilisés par les enseignants en immersion française

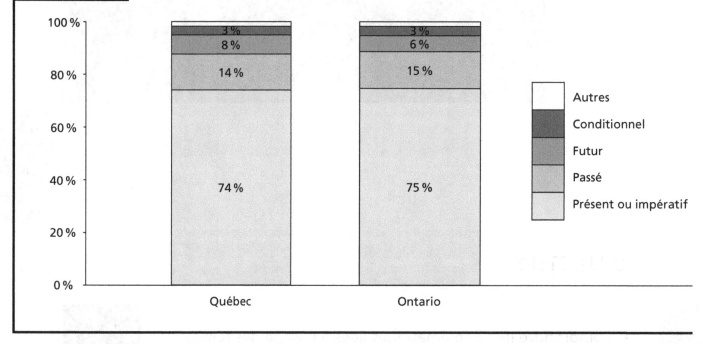

Ces résultats contribuent à expliquer l'utilisation imprécise des temps du passé chez les élèves en immersion. On peut également y lire une cause de leur usage limité du conditionnel (voir le chapitre 7). À la suite de ces constats, Swain (1988) a proposé que les enseignants adaptent leur langage de façon à mettre en relief une gamme variée de formes verbales. Plus spécifiquement, elle suggère d'attirer l'attention des élèves sur les correspondances entre la forme et la fonction des verbes. C'est la façon la plus efficace d'amener les élèves à utiliser la L2 de manière plus précise et réfléchie.

Les temps verbaux constituent « un domaine qui joue un rôle central dans la structure d'une langue et qui sera probablement un obstacle majeur pour les apprenants de tout âge » (Harley, 1986 : 59). Le fait de traiter des verbes seulement au hasard, en fonction des occasions qui se présentent dans le discours, aura donc des effets néfastes sur le développement de la L2. Au fil des années, la recherche a bien documenté les difficultés des élèves à utiliser les temps des verbes selon leur fonction dans le discours. La distinction entre l'imparfait et le passé composé reste plutôt méconnue malgré l'importance de leur usage en français. Pourtant, chacun de ces temps verbaux a une fonction précise dans le passé.

Fonctions du passé composé et de l'imparfait

Passé composé
- Fait référence à une action achevée dans le passé
- Fait avancer l'action ou indique un changement de situation (parfois introduit par *soudain*, *tout à coup*)

Imparfait
- Fait référence à une action inachevée ou habituelle dans le passé
- Est utilisé pour les descriptions ou les circonstances d'un évènement

---

Ce chapitre examine les principaux problèmes posés par l'imparfait et le passé composé en immersion :

- la faible présence des temps du passé dans le discours de classe ;
- l'utilisation généralisée de l'auxiliaire *avoir* au passé composé ;
- la compréhension des fonctions de l'imparfait et du passé composé.

Tout au long du chapitre, des exemples de séquences proactives sont proposés pour traiter ces difficultés. Des pistes de réflexion vous aideront également à intégrer ces notions dans votre pratique d'enseignement.

6.2 RÉFLEXIONS

6.2.1 OÙ EST PASSÉ LE PASSÉ ?
Comme on l'a vu à la figure 6.1, les temps du passé sont peu utilisés en immersion par rapport au présent et à l'impératif. L'extrait suivant permet de comprendre plus concrètement ce qui cause cette sous-représentation. Il s'agit d'un cours d'histoire dans une classe d'immersion en 6ᵉ année (adapté de Swain, 1988 : 71). On y discute de la vie dans les Antilles à la fin du XVIIIᵉ siècle.

Identifiez les différents temps des verbes employés par l'enseignante et les élèves, puis réfléchissez à leur pertinence dans le contexte particulier de ce cours. Que pourrait-on faire pour employer davantage le passé ?

Prof:	*L'Europe n'avait pas de canne à sucre. Pourquoi est-ce qu'il n'y avait pas de canne à sucre en Europe ? Lilly ?*
Élève :	*Le temps est trop froid.*
Prof:	*Le temps est trop froid. Un autre mot pour le temps ?*
Élève :	*Le climat n'est pas beau.*
Prof:	*Qu'en pensez-vous ? Comment est-ce que ces plantations ont influencé la vie aux Antilles ? Comment pensez-vous que ces plantations... vont... euh, changer la vie aux Antilles ? Ces gens vont vendre du sucre... du rhum... de la mélasse... de la cassonade. Ils vont faire de l'argent. Avec cet argent, ils vont acheter des vêtements, des meubles... des chevaux... des carrosses... tout ce qu'ils veulent et ils vont les rapporter aux Antilles... Maintenant, je veux retourner à ce que Juan disait, parce que je pense que c'était ça qu'il essayait de m'expliquer. Comment est-ce que ça va changer la vie aux Antilles ?*
Élève :	*Moderniser.*
Prof:	*OK. On va importer des objets modernes aux Antilles. OK, ça, c'est une façon d'influencer les choses. Une autre... est-ce qu'il y a une autre façon d'influ... Comment est-ce que les plantations vont influencer la vie aux Antilles ?*
Élève :	*Tous les esclaves et toutes les différentes cultures qui travaillent sur les, euh... [plantations] ?*
Prof:	*Oui ! Vous avez ces énormes plantations... vous allez certainement avoir quelques cultures et quelques coutumes qui sont...*
Élève :	*Différentes.*

En ce qui a trait au contenu, selon Swain, cette leçon atteint tout à fait son objectif. L'enseignante amène habilement les élèves à cerner le contexte socioéconomique des Antilles à l'époque des plantations de canne à sucre. Cependant, pour ce qui est de modéliser les temps du passé, c'est moins réussi. L'enseignante commence la discussion en utilisant l'imparfait, mais, puisque les élèves s'expriment au présent, elle passe ensuite au futur proche. Bien que ce changement soit naturel, il serait tout à fait possible pour l'enseignante de souligner ou d'encourager l'emploi de l'imparfait. Ce cours d'histoire offre en effet une occasion idéale de modéliser les temps du passé. Les élèves ont besoin d'être exposés à de bons modèles, et ce, particulièrement dans un contexte aussi signifiant.

En plus d'utiliser davantage de verbes au passé, les enseignants devraient créer des contextes dans lesquels les élèves doivent les employer. Swain propose que les élèves s'écrivent des lettres entre propriétaires de plantations et importateurs. La tâche des élèves dans le rôle des propriétaires serait d'écrire une lettre à l'importateur où ils se plaindraient de ne pas avoir reçu la marchandise commandée. Leur camarade de classe dans le rôle de l'importateur devrait à son tour expliquer le délai en écrivant, par exemple, « *Nous avons expédié la marchandise à telle date, mais elle est revenue gravement endommagée* » ou « *Je n'ai reçu votre paiement que la semaine dernière* ».

L'approche intégrée cherche à instaurer des contextes signifiants dans lesquels les élèves ont maintes occasions d'utiliser diverses formes et fonctions du français. Mais, pour ce faire, les élèves en immersion ont besoin d'être exposés à ces traits linguistiques. C'est pourquoi les temps du passé devraient être mis en valeur autant dans le discours de l'enseignant ou de l'enseignante que dans celui des élèves. En immersion, ce trait linguistique peut faire partie des apprentissages assez tôt. Au Québec, le programme d'immersion française préconise que les élèves reconnaissent le passé composé et l'imparfait dès la 3e année, et utilisent ces formes de manière autonome en 5e année. Il serait donc concevable d'en exiger autant dans les autres provinces.

6.2.2 LE PRÉSENT HISTORIQUE

Les enseignants ne sont pas les seuls à éviter les temps du passé pour parler d'évènements antérieurs. En fait, cela se produit régulièrement dans le discours informel et même dans des contextes plus formels. Les locuteurs emploient alors le **présent historique**. Observons le texte suivant extrait d'un manuel d'histoire écrit pour locuteurs natifs du français. Que pensez-vous de l'emploi du temps présent pour décrire la vie en Nouvelle-France ?

Les Filles du Roy débarquent

De 1663 à 1673, près de 800 jeunes filles **font** la traversée de l'océan pour venir se marier en Nouvelle-France. La plupart **sont** orphelines et âgées de moins de 25 ans. On les **surnomme** les « Filles du Roy », car leur voyage et leur installation dans la colonie **sont** payés par Louis XIV. Elles **reçoivent** quelques vêtements, dont un bonnet, une paire de bas, des gants et un mouchoir, et un coffre pour les ranger. On leur **donne** aussi un peu d'argent et des accessoires pour la couture, comme du fil, des aiguilles et des ciseaux.

À Montréal, les Filles du Roy **sont** accueillies par Marguerite Bourgeoys et les religieuses de la congrégation de Notre-Dame. Dans les jours qui **suivent** leur arrivée, elles **choisissent** un époux parmi les colons et les soldats venus de France pour combattre les Iroquois. Leur préférence **va** aux hommes qui **possèdent** déjà une maison. Une vie rude les **attend**. Cependant, ces femmes **savent** s'adapter à leur nouvelle existence. Leur établissement **est** un succès. Dix ans plus tard, au début des années 1680, la population française de la colonie a triplé !

Extrait de *Signes des temps*, 2e édition, Chantale Samuel et Charles Vendette © 2011, Les Éditions CEC inc.

Le présent historique conviendrait aux locuteurs francophones qui maîtrisent mieux les temps du passé, mais les élèves en immersion, eux, ont besoin de mieux connaître leur usage. L'utilisation dans un tel contexte du présent historique ne contribue en rien à souligner la correspondance entre les formes verbales au passé et leur fonction. S'il était écrit au passé, ce texte fournirait une excellente occasion pour les élèves de saisir ces liens. D'abord, les temps verbaux correspondraient à l'époque où sont arrivées les Filles du Roy, au XVIIe siècle. Ensuite, le contraste entre la vie des femmes en Nouvelle-France et celle des femmes d'aujourd'hui serait mieux mis en valeur.

Si vous enseignez l'histoire, examinez les ressources à votre disposition pour voir si les temps du passé sont utilisés. Si le présent est le seul temps employé, pouvez-vous imaginer des façons d'exposer davantage les élèves aux formes du passé ? Et, surtout, comment pouvez-vous les amener à comprendre les liens déterminants entre ces formes et leur fonction ? Que pouvez-vous faire pour rendre cet apprentissage signifiant ?

6.2.3 ÊTRE OU AVOIR, TELLE EST LA QUESTION

Même si l'on accorde une plus grande place aux temps du passé, ils peuvent poser plusieurs difficultés dans l'apprentissage du français. L'une d'entre elles est l'emploi de l'auxiliaire *être* ou *avoir* au passé composé.

Comme son nom l'indique, le passé composé, contrairement aux temps simples, est formé de deux parties : un auxiliaire et un participe passé. L'auxiliaire peut être le verbe *avoir* ou *être* et accompagne le participe passé du verbe conjugué (ex. : *je suis arrivé* ou *j'ai mangé*). Selon le *Bescherelle*, seulement 0,3 % des quelque 10 000 verbes en français demandent l'auxiliaire *être*. Il n'est donc pas étonnant que les élèves en immersion aient tendance à surgénéraliser l'emploi de l'auxiliaire *avoir* (ex. : *j'ai allé*). Cependant, même s'il n'y a que quelques verbes nécessitant l'auxiliaire *être* au passé composé, certains d'entre eux sont très fréquents. C'est sans compter les verbes pronominaux, qui s'emploient toujours avec l'auxiliaire *être* (ex. : *je me suis promenée, tu t'es coupé les cheveux*).

Observations sur les verbes employés avec l'auxiliaire *être*

Voici les verbes les plus fréquemment utilisés avec l'auxiliaire *être*. Cette liste exclut les verbes pronominaux.

aller	mourir	retourner
arriver	naître	revenir
descendre	partir	sortir
devenir	passer	tomber
entrer	rentrer	venir
monter	rester	

Tous ces verbes nécessitent l'auxiliaire *être* lorsqu'ils sont intransitifs (sans complément). Or, il y en a sept qui sont aussi employés avec l'auxiliaire *avoir* lorsqu'ils sont transitifs directs (c'est-à-dire suivis d'un complément direct). Quels sont ces sept verbes ?

À partir de ces observations, on peut conclure que les verbes *descendre*, *entrer*, *monter*, *passer*, *rentrer*, *retourner* et *sortir* se forment avec *avoir* lorsqu'ils sont suivis d'un complément direct.

Les enseignants doivent connaître ou chercher à découvrir ces faits linguistiques afin de pouvoir les signaler aux élèves. À force d'être répétée, la surgénéralisation de l'auxiliaire *avoir* au passé composé risque de se fossiliser. Cette tendance mérite d'être corrigée par une intervention proactive bien planifiée ou encore par des interventions réactives chaque fois que nécessaire. Voyons maintenant quelques façons d'appliquer l'ensemble de ces réflexions dans un contexte disciplinaire.

6.3 APPLICATION : LE PASSÉ COMPOSÉ

Comme le passé composé fait avancer l'action dans le passé, il se prête parfaitement à des cours d'histoire où les évènements doivent être situés selon des repères chronologiques. La progression des dates ou des années permet aux élèves de mieux comprendre son contexte d'utilisation. Voici un exemple de séquence sur le passé composé dans un cours d'histoire en 4ᵉ année.

Objectifs disciplinaires
> Faire comprendre les causes et les effets des trois voyages de Jacques Cartier vers le Nouveau Monde
> Faire ressortir les évènements qui ont fait de Jacques Cartier un personnage historique

Objectifs linguistiques
> Faire remarquer que le passé composé désigne des actions achevées et marque une progression des évènements
> Amener les élèves à utiliser correctement les auxiliaires *être* ou *avoir*

6.3.1 PERCEPTION : « JACQUES CARTIER ET LA COURSE VERS LE NOUVEAU MONDE »

Les élèves regardent une vidéo intitulée « Jacques Cartier et la course vers le Nouveau Monde » préparée par Caroline Côté (https://www.youtube.com/watch?v=_vsqzjD_oe8&feature=youtu.be). La narration de la vidéo emploie le passé composé autant avec l'auxiliaire *avoir* qu'avec l'auxiliaire *être*. La fréquence accrue de verbes au passé composé assure la mise en évidence de ce trait linguistique.

Après l'activité d'écoute, les élèves discutent en groupe-classe du contenu de la vidéo et font ressortir les faits importants des voyages de Jacques Cartier. Ils prennent en note les dates de ses voyages et les informations importantes dans leur cahier.

6.3.2 CONSCIENTISATION : JACQUES CARTIER AU PASSÉ COMPOSÉ

L'enseignant ou l'enseignante projette sur un tableau interactif un texte formé de phrases de la vidéo que les élèves viennent d'écouter. Ce texte résume la vie de Jacques Cartier tout en fournissant une occasion d'observer le passé composé de plus près. En groupe-classe, les élèves identifient les verbes au passé composé. Ils sont amenés à remarquer que le passé composé désigne des actions achevées et marque une progression des évènements. Puis, les élèves créent collectivement une liste de verbes employés avec les auxiliaires *avoir* ou *être*.

Voici quelques phrases tirées de la vidéo à titre d'exemple.

Premier voyage de Jacques Cartier

Jacques Cartier **est né** en France à Saint-Malo en 1491. En 1532, le roi François Ier l'**a choisi** pour explorer le Nouveau Monde.

Cartier **est arrivé** dans la baie des Chaleurs en 1534 et **a rencontré** des Micmacs. À Gaspé, il **a planté** une croix et il **a déclaré** que les terres appartenaient au roi de la France.

Deuxième voyage de Jacques Cartier

En 1535, Cartier **est parti** pour une deuxième expédition.

À Hochelaga, il **a rencontré** des Algonquiens. L'hiver **est arrivé** vite et **a surpris** les Français. Le fleuve était gelé et les navires ne pouvaient plus bouger.

Troisième et dernier voyage de Jacques Cartier

En 1541, Jacques Cartier **est reparti** avec cinq bateaux. Au Kanata (Canada), Cartier et son équipe **ont construit** un fort. Pendant l'hiver, Cartier **a acheté** de l'or et des diamants que les Iroquoiens **ont trouvés**. Mais ce n'était que de la pyrite et du quartz.

Jacques Cartier **est mort** le 1er septembre 1557 à l'âge de 65 ans.

6.3.3 PRATIQUE GUIDÉE : QUE DIT L'IMAGE ?

Pour cette activité, l'enseignant ou l'enseignante utilise cinq images illustrant un évènement important de la vie de Jacques Cartier et écrit au tableau une liste de verbes à l'infinitif pour les décrire. Il y a plusieurs copies de chacune des images. Chaque élève en reçoit une et écrit une courte description de l'évènement à l'aide d'un ou de plusieurs verbes de la liste. Les verbes choisis doivent être conjugués au passé composé avec l'auxiliaire approprié. Les élèves qui ont la même image se regroupent ensuite et mettent leurs phrases en commun. Ils choisissent celles qui décrivent le mieux l'évènement illustré pour en faire un récit qu'ils présentent oralement à la classe. Durant ces présentations, l'enseignant ou l'enseignante donne de la rétroaction corrective.

6.3.4 PRATIQUE AUTONOME : UNE LIGNE DU TEMPS

Les élèves forment des équipes pour créer une ligne du temps représentant quelques évènements qui ont marqué la vie de Jacques Cartier. Pour illustrer la ligne du temps, ils se servent des images à leur disposition ou en créent d'autres. Chaque image est accompagnée d'une légende décrivant l'évènement au passé composé.

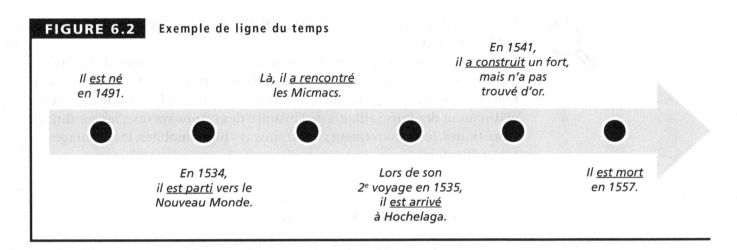

FIGURE 6.2 Exemple de ligne du temps

Il est né
en 1491.

Là, il a rencontré
les Micmacs.

En 1541,
il a construit un fort,
mais n'a pas
trouvé d'or.

En 1534,
il est parti vers le
Nouveau Monde.

Lors de son
2ᵉ voyage en 1535,
il est arrivé
à Hochelaga.

Il est mort
en 1557.

Les élèves présentent ensuite leur travail à la classe dans un exposé oral. Lors de cette étape, l'enseignant ou l'enseignante a de nouveau l'occasion de donner de la rétroaction corrective et d'insister, s'il y a lieu, sur le choix du bon auxiliaire.

6.4 APPLICATION : L'IMPARFAIT

Alors que le passé composé désigne des actions complétées dans le passé, l'imparfait est utilisé pour les descriptions, les actions inachevées ou habituelles. L'histoire reste une discipline idéale pour aborder ce trait linguistique, surtout si l'on traite de contextes ou de conditions de vie. À titre d'exemple, voici une séquence sur l'imparfait développée par une enseignante de 6ᵉ année, Louise Boudreau, et adaptée pour les besoins de ce livre. Le cours porte sur les premiers tramways à Montréal.

Objectifs disciplinaires
> Familiariser les élèves à l'évolution des tramways à Montréal
> Les amener à comparer les moyens de transport passés et présents

Objectifs linguistiques
> Faire remarquer la fonction descriptive de l'imparfait
> Fournir des occasions d'utiliser l'imparfait à la 3ᵉ personne

---

6.4.1 PERCEPTION : LES TRAMWAYS, DU PLUS ANCIEN AU PLUS RÉCENT

L'enseignant ou l'enseignante présente à la classe huit images de tramways à classer du plus ancien au plus récent. En groupe-classe, les élèves les mettent en ordre tout en justifiant leurs choix. Ensuite, ils lisent le texte suivant et discutent des faits saillants de l'histoire des tramways (ex. : les conditions climatiques, les inconvénients des tramways hippomobiles, les avantages de l'électrification).

Les tramways de Montréal

À Montréal, vers les années 1860, les premiers tramways **étaient** hippomobiles, c'est-à-dire qu'ils étaient tirés par des chevaux. Les conditions climatiques **imposaient** trois types de tramways :

- des véhicules sur rails pour l'été ;
- des véhicules traîneaux pour l'hiver ;
- des véhicules sur roues pour le printemps ou l'automne, en raison des voies boueuses.

Ce moyen de transport **coûtait** plutôt cher. C'est le chauffeur lui-même qui **faisait** la ronde pour collecter les frais de passage. Les tramways tirés par des chevaux **causaient** cependant plusieurs problèmes.

- Les wagons remplis de passagers **étaient** de plus en plus lourds à tirer par les chevaux, particulièrement dans les côtes.
- En hiver, les chevaux **subissaient** des blessures aux pattes à cause du sel répandu dans les rues.
- Le nombre de passagers **progressait** constamment.
- Le nettoyage des rues **était** aussi un problème, car on **devait** ramasser les excréments des chevaux.

C'est en 1892 que le premier tramway électrique montréalais, le Rocket, a commencé à circuler. Deux années plus tard, le réseau **était** complètement électrifié et la clientèle avait doublé !

Plus rapide, le tramway électrique **jouissait** d'une très grande popularité. Son réseau **se développait** d'année en année. Dès les années 1900, le tramway montréalais **comptait** deux bogies plus grands pour s'adapter à l'achalandage croissant.

Le tramway est resté un moyen de transport incontournable à Montréal jusqu'aux années 1950.

Sources :
http://ville.montreal.qc.ca/portal/page?_pageid=2497,3090490&_dad=portal&_schema=PORTAL
http://www.stm.info/fr/a-propos/decouvrez-la-STM-et-son-histoire/histoire/histoire-des-tramways

---

6.4.2 CONSCIENTISATION : L'IMPARFAIT OU LES IMPARFAIENT ?

En groupe-classe, les élèves identifient les mots en caractères gras dans le texte et discutent de la forme et de la fonction de l'imparfait (décrire une situation ou une action inachevée). En petites équipes, les élèves classifient ensuite les verbes selon leur nombre (singulier ou pluriel) et déterminent les régularités des terminaisons.

6.4.3 PRATIQUE GUIDÉE : LES DESCRIPTIONS DE TRAMWAYS

Pour cette activité, les élèves forment un total de huit équipes. Chacune reçoit l'image d'un des tramways classés dans l'activité de perception. D'après les indices visuels de la photo, elle rédige un court texte décrivant son tramway en utilisant trois verbes différents à l'imparfait. Exemple : *Ce tramway circulait à Montréal. Il roulait sur des rails de fer et était hippomobile.* L'enseignant ou l'enseignante fait le tour des équipes pour leur fournir de la rétroaction corrective.

6.4.4 PRATIQUE AUTONOME : LA CRÉATION D'AFFICHES

Dans la même équipe, les élèves mènent un projet de recherche sur leur tramway et s'informent sur l'époque, la ligne, le nombre de places, etc.

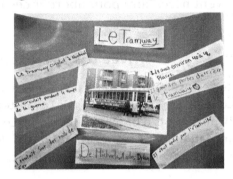

Ils conçoivent une affiche illustrée et annotée où le tramway est décrit en phrases complètes, à l'imparfait. Chaque équipe présente ensuite son tramway à toute la classe. On peut choisir de les faire présenter dans l'ordre chronologique pour mettre en évidence l'évolution des tramways à Montréal.

6.5 RÉFLEXIONS : LE PASSÉ COMPOSÉ OU L'IMPARFAIT ?

Dans les deux séquences précédentes, on a travaillé le passé composé et l'imparfait de manière séparée. Cette façon de faire permettra aux apprenants de mieux utiliser l'un ou l'autre des temps du passé, sans toutefois les aider à savoir lequel utiliser selon le contexte. Même si on a exploré les fonctions respectives de ces deux temps (désigner des évènements achevés ou décrire un contexte), les élèves n'ont pas encore d'outils pour bien les différencier. On sait que la confusion entre l'imparfait et le passé composé est un des problèmes les plus tenaces chez les apprenants du français L2. Cette section explore donc leurs différences en termes de fonction et indique des moyens pour aider les élèves à les comprendre.

Il convient d'emblée de noter qu'il est difficile de distinguer les formes du passé composé et de l'imparfait à cause de la prononciation des terminaisons *é*/*ais*, qui est la même dans certaines variétés du français (Brissaud, Fisher et Negro, 2012). Les formes *j'ai écouté* et *j'écoutais*, par exemple, se différencient plus facilement à l'écrit qu'à l'oral.

En outre, les fonctions distinctes du passé composé et de l'imparfait n'ont pas d'équivalent en anglais, ce qui rend leur apprentissage difficile pour les anglophones. On compare parfois la distinction entre le passé composé et l'imparfait à celle entre le *simple past* (*I went*) et le *past progressive* (*I was going*). Cette comparaison risque toutefois d'induire les élèves en erreur, car la différence entre les deux temps ne se manifeste pas toujours de la même façon en français et en anglais.

IMMERSION EN ACTION

La différence entre l'imparfait et le passé composé sera mieux comprise si elle est observée dans un texte au passé. Un moyen simple d'introduire cette notion est de faire remarquer les fonctions de ces deux temps selon qu'ils désignent le cadre situationnel (imparfait) ou des évènements ponctuels (passé composé).

Pour comprendre la différence entre l'imparfait et le passé composé, il est préférable de les étudier dans leur véritable contexte d'utilisation. On peut pour cela observer un texte où ces deux temps verbaux sont présents et en déduire la fonction de chacun. Bérard et Lavenne (1989) fournissent à cet égard une façon très simple de les différencier :

- l'imparfait sert à décrire le cadre situationnel ;
- le passé composé sert à désigner des évènements ponctuels.

Cette opposition se confirme dans l'exemple du texte historique ci-dessous. Extrait d'un cahier d'histoire écrit au présent, il a été adapté au passé pour les fins de cette réflexion. Notez que ce genre de transformation sera souvent nécessaire pour aborder ces temps dans votre cours d'histoire.

L'arrivée des Loyalistes

Après la Conquête, l'Angleterre **souhaitait** donner un caractère britannique à sa nouvelle colonie, mais peu d'Anglais **ont émigré** au Canada. En 1776, l'arrivée des Loyalistes dans la Province de Québec **a constitué** la première vague importante d'immigrants d'origine britannique. Les Loyalistes **s'opposaient** à l'indépendance des Treize colonies. Comme leur nom l'indique, ils **ont choisi** de rester loyaux à l'Angleterre et **ont quitté** les États-Unis pour venir s'établir dans la Province de Québec, qui **appartenait** à l'Angleterre.

L'installation des Loyalistes

De 1776 à 1784, des milliers de Loyalistes **ont quitté** les États-Unis. Environ 6 000 d'entre eux **se sont installés** dans la Province de Québec.

La plupart des Loyalistes **se sont établis** près des Grands Lacs. Les autres **ont choisi** Montréal, Québec, la Gaspésie, la Nouvelle-Écosse ou le Nouveau-Brunswick. Ils ne **voulaient** pas habiter les seigneuries puisque les Canadiens français les **occupaient** déjà. Ils **préféraient** se regrouper dans des territoires inhabités afin de vivre dans leur langue et selon leur religion et leurs traditions.

Adapté de *Au fil des temps*, 2e édition, Lucie Parent et Anne-Catherine Lafaille © 2011, Les Éditions CEC inc.

Suivant la distinction établie par Bérard et Lavenne, on peut classer les différentes informations de ce texte de la façon suivante.

- Le cadre situationnel (à l'imparfait) : le contexte de l'après-Conquête et de l'indépendance américaine, les opinions et les préférences des Loyalistes.
- Les évènements ponctuels (au passé composé) : le départ des États-Unis, l'arrivée dans les colonies britanniques d'Amérique du Nord et l'établissement des Loyalistes.

Une façon simple d'amener les élèves à remarquer ces différences serait de les faire classer les verbes en gras selon le temps employé (imparfait ou passé composé). Cela pourrait être fait à même le texte, avec un code de couleurs, par exemple. L'étape suivante consisterait à déduire les régularités de chacun de ces temps selon le contexte où ils sont utilisés. Les élèves pourraient dresser une liste des informations à l'imparfait ou au passé composé dans un tableau comme celui de la page suivante.

TABLEAU 6.1   Cadre situationnel et évènements ponctuels

Temps du passé	
Imparfait **Le cadre situationnel**	**Passé composé** **Les évènements ponctuels**
• Volonté de peupler la nouvelle colonie par des immigrants britanniques • Opposition des Loyalistes à l'indépendance des colonies • Désir de ne pas se mêler aux Canadiens français	• Départ des Loyalistes des États-Unis • Arrivée dans les colonies britanniques d'Amérique du Nord • Établissement dans différentes régions

Ce tableau permet de comprendre le lien et la différence entre le cadre situationnel, ou le contexte, et les évènements ponctuels. Dans une discussion dialogique (voir le chapitre 3), il serait possible d'amener les élèves à saisir que le contexte de l'après-Conquête et de l'indépendance sert de toile de fond aux évènements décrits dans le texte. Ce serait une excellente façon d'aborder à la fois le contenu historique et la distinction entre l'imparfait et le passé composé.

Les élèves ne pourront comprendre pleinement l'emploi de ces deux temps de verbes que s'ils les observent en relation dans un texte. Il faut insister de manière claire sur leur fonction respective et donner aux élèves plusieurs occasions de réinvestir ces connaissances. Lorsqu'ils auront assimilé la différence entre ces deux temps, ils pourront alors appliquer cette distinction de manière plus automatique à l'oral.

6.6 APPLICATION : LE PASSÉ COMPOSÉ ET L'IMPARFAIT

La séquence d'enseignement suivante porte sur la distinction entre l'imparfait et le passé composé. Elle est destinée aux élèves de 6ᵉ année et serait idéale dans un cours de français, car elle s'attarde spécifiquement au récit. À travers la lecture d'une légende et le partage de souvenirs, elle vise à faire comprendre et appliquer les fonctions des temps au passé. Initialement conçue par Harley, Ullmann et Mackay (1985 ; voir aussi Harley, 1989, 2013), elle a été adaptée pour les besoins de ce livre.

Objectifs disciplinaires
> Faire découvrir ou mieux connaître les légendes et la tradition orale
> Fournir aux élèves une occasion d'apprendre à raconter des souvenirs

Objectifs linguistiques
> Faire comprendre les fonctions respectives de l'imparfait et du passé composé
> Amener les élèves à utiliser correctement ces deux temps du passé

6.6.1 PERCEPTION : LA LÉGENDE DU LOUP-GAROU

La séquence débute par une discussion sur les légendes que les élèves connaissent déjà et sur la tradition orale qui y est associée. Ensuite, les élèves lisent une légende sur les loups-garous qui a été modifiée pour accentuer la fréquence du passé composé et de l'imparfait. Le texte a également été travaillé de façon à rendre leurs fonctions évidentes. Au niveau thématique, on met l'accent sur le contenu de la légende dans le but ultérieur de sensibiliser les élèves aux nombreux mythes sur les loups. Voici un extrait de la légende.

Le loup-garou et le châle

Cette légende raconte l'histoire d'un fermier qui <u>s'appelait</u> Luc. Il <u>vivait</u> près de la forêt avec sa femme Marie-Rose. Luc <u>était</u> un homme impatient et taciturne. Il n'<u>aimait</u> pas se mêler aux gens et <u>se mettait</u> souvent en colère. [...]

Un jour, Marie-Rose <u>a décidé</u> d'aller dans la forêt pour ramasser du petit bois. Il <u>faisait</u> déjà un peu froid la nuit et le feu dans le foyer <u>s'éteignait</u> lentement. Luc n'<u>était</u> pas à la maison. [...] Ce jour-là, Marie-Rose <u>a pris</u> son châle, l'<u>a jeté</u> sur ses épaules et <u>a quitté</u> la maison. Elle <u>est entrée</u> dans la forêt. Sans s'en apercevoir, elle <u>s'aventurait</u> plus avant dans la forêt quand, soudain, elle <u>s'est rendu</u> compte qu'il <u>était</u> tard...

6.6.2 CONSCIENTISATION : DES ACTIONS ACHEVÉES OU INACHEVÉES ?

Lors de l'activité de conscientisation, on demande aux élèves d'identifier les deux temps au passé dans le texte et, sur la base du récit, d'en déduire les différences de fonction. Si les élèves ont besoin d'aide, on peut leur demander de choisir parmi les quatre fonctions suivantes dans l'exercice ci-après. À partir des résultats de l'exercice, les élèves formulent alors des régularités sur l'imparfait et le passé composé (ex. : le cadre situationnel vs les évènements ponctuels).

1. Ce temps désigne une situation inachevée et donc en train de se passer.
2. Ce temps fait référence à des actions achevées au passé.
3. Ce temps fait avancer l'action du récit ou indique un changement de situation (parfois introduit par des expressions comme *soudain* ou *un jour*).
4. Ce temps est utilisé pour les descriptions ou les circonstances d'un évènement.

Imparfait	Passé composé
Cette légende raconte l'histoire d'un fermier qui s'appelait Luc. Il vivait près de la forêt avec sa femme Marie-Rose. Luc était un homme impatient et taciturne. Il n'aimait pas se mêler aux gens et se mettait souvent en colère. 1 2 3 4	*Un jour, Marie-Rose a décidé d'aller dans la forêt pour ramasser du petit bois.* 1 2 3 4
Il faisait déjà un peu froid la nuit et le feu dans le foyer s'éteignait lentement. Luc n'était pas à la maison. 1 2 3 4	*Ce jour-là, Marie-Rose a pris son châle, l'a jeté sur ses épaules et a quitté la maison. Elle est entrée dans la forêt.* 1 2 3 4
Sans s'en apercevoir, elle s'aventurait plus avant dans la forêt quand… 1 2 3 4	*… soudain, elle s'est rendu compte…* 1 2 3 4
… qu'il était tard. 1 2 3 4	

6.6.3 PRATIQUE GUIDÉE : DESSINS AU PASSÉ

En groupe-classe, les élèves comparent plusieurs paires d'illustrations. Dans chaque paire, l'une des illustrations montre une action inachevée et l'autre, la même action achevée. Chaque illustration est accompagnée d'une phrase descriptive dans laquelle le verbe est conjugué au passé composé ou à l'imparfait selon le cas. Évidemment, les deux actions se situent dans le passé.

Une femme <u>tombait</u> sur la glace.   Une femme <u>est tombée</u> sur la glace.

On <u>construisait</u> une nouvelle maison.   On <u>a construit</u> une nouvelle maison.

Les élèves sont d'abord appelés à constater la différence entre les actions et donc la fonction de chacun des temps. Ils doivent ensuite créer et illustrer leurs propres phrases au passé pour différencier les actions achevées et inachevées. Tout au long de l'activité, l'enseignant ou l'enseignante circule pour apporter de l'aide. Voici des exemples de paires de phrases à illustrer :

La baigneuse sautait dans le lac.   *La baigneuse a sauté dans le lac.*
Le cuisinier préparait une soupe.   *Le cuisinier a préparé une soupe.*
Une tornade s'abattait sur la ville. *Une tornade s'est abattue sur la ville.*

6.6.4 PRATIQUE AUTONOME : L'ALBUM DE SOUVENIRS

La pratique autonome consiste en la création d'albums dans lesquels les élèves décrivent divers souvenirs. Ils doivent apporter des photos de leur passé qui illustrent soit des actions achevées, soit des actions inachevées. Chacune de ces photos est accompagnée d'une brève description dans laquelle les élèves racontent à l'imparfait et au passé composé le souvenir associé à l'image. Voici un exemple à partir de mes propres souvenirs d'enfance.

> *Quand j'avais 9 ans, j'aimais beaucoup faire du vélo, mais celui sur la photo appartenait à mon frère.*

> *Quand j'ai eu 10 ans, j'ai reçu comme cadeaux une trousse scientifique et un globe terrestre.*

> *Quand j'avais 12 ans, je suis monté à cheval pour la première et la dernière fois, car je n'ai vraiment pas aimé ça.*

L'activité se termine par une entrevue orale qui sera enregistrée sur support audio ou vidéo. Préalablement, chaque élève doit prévoir les questions qui lui seront posées en entrevue, dans le but de décrire ses souvenirs plus en détail. Voici des exemples de questions que j'aurais pu écrire :

- *Comment t'es-tu senti à 12 ans quand tu es monté à cheval ?*
- *Qu'est-ce qu'il y avait dans ta trousse scientifique ?*

En paires, les élèves se posent mutuellement ces questions. Ils sont encouragés à s'exprimer au passé, mais il se peut qu'ils privilégient plus spontanément le présent. L'important est qu'ils bénéficient de suffisamment de liberté dans cette activité pour renforcer leur confiance.

Il faut souligner que cette activité se rapproche d'un projet de longue haleine. Il est donc possible de l'étendre sur plusieurs jours, voire plusieurs semaines.

6.7 RÉFLEXIONS : C'EST VOTRE TOUR !

La séquence d'enseignement que l'on vient de voir se déroulait principalement dans le cours de français. Pourtant, le cours d'histoire offrirait un contexte idéal pour attirer l'attention des élèves sur les fonctions respectives de ces deux temps du passé.

Maintenant, c'est à vous de jouer! Concevez une séquence d'enseignement sur la distinction entre l'imparfait et le passé composé, mais, cette fois, dans le contexte d'un cours d'histoire.

1. Choisissez un texte historique qui pourrait servir de point de départ dans l'activité de perception. Pensez également à une pratique autonome qui pourrait réinvestir son contenu.
2. Définissez vos objectifs linguistiques et disciplinaires, puis créez une séquence d'enseignement.
   a. Transformez le texte choisi de manière à mettre en évidence les fonctions respectives du passé composé et de l'imparfait. Définissez votre activité de perception : quels éléments de contenu allez-vous aborder ?
   b. Planifiez une activité de conscientisation qui amène les élèves à prendre conscience des différences de fonction entre les deux temps.
   c. Créez une pratique guidée dans laquelle les élèves doivent choisir entre l'imparfait et le passé composé, dans un contexte toujours relié au cours d'histoire.
   d. Concevez une activité de production qui incite les élèves à utiliser les deux temps du passé tout en réinvestissant le contenu historique abordé dans la séquence.

CHAPITRE 7

Le conditionnel

OBJECTIFS

- Comprendre les fonctions essentielles du conditionnel en français

- Saisir les difficultés posées par son utilisation en immersion

- Trouver des moyens de faire remarquer et appliquer le conditionnel dans d'autres disciplines

7.1 PROBLÉMATIQUE

Contrairement à d'autres temps de verbes, la fonction du conditionnel en français est non seulement grammaticale, mais aussi sociolinguistique. Pour saisir les difficultés spécifiques qu'il pose en immersion, rappelons brièvement en quoi consistent ces fonctions.

Le conditionnel

Fonctions grammaticales

Lorsqu'il est employé au présent, le conditionnel a la fonction grammaticale d'exprimer un fait incertain. Plus précisément, il peut désigner :

- une hypothèse ; → *Selon certains scientifiques, la taille de l'Univers serait infinie.*
- une possibilité ; → *L'avion devrait atterrir vers six heures.*
- un fait incertain dont la réalisation dépend d'une condition préalable (introduite par *si*). → *Il y aurait moins de pollution si l'on réduisait la consommation de pétrole.*

Le conditionnel peut aussi exprimer un fait futur par rapport à un fait du passé. → *Elle l'a prévenu qu'elle arriverait en retard.*

Fonctions sociolinguistiques

En français, le conditionnel joue un rôle sociolinguistique : il atténue certains énoncés (ou les rend moins directs) et marque la politesse. C'est ce qu'on peut observer dans les situations suivantes, où le conditionnel exprime :

- une proposition ; → *On pourrait aller au cinéma.*
- une demande ; → *Me donnerais-tu le sel ?*
- un souhait ; → *J'aimerais que tu sois là.*
- un conseil. → *Tu devrais faire attention !*

Du point de vue des **anglophones**, force est de constater que les ressemblances entre le conditionnel des deux langues sont très nombreuses. Pourtant, plusieurs études de terrain ont révélé que, comparativement aux francophones, les élèves en immersion française avaient tendance à l'éviter.

En ce qui concerne les fonctions grammaticales du conditionnel, un exemple tiré d'une étude de Harley (1992) permet d'illustrer cet écart. On a posé à des élèves de 5ᵉ année la question suivante : *Qu'est-ce que tu ferais si tu gagnais beaucoup d'argent ?* Étant donné que la question désignait un fait incertain, elle appelait logiquement une réponse au conditionnel. Voici des exemples de réponses obtenues chez des élèves en immersion et des francophones du même âge.

TABLEAU 7.1	Réponses obtenues à une question exprimant un fait incertain	
Élèves en immersion	**Élèves francophones**	
• *Mon père a dit qu'on achètera une ferme.* • *Je vais mettre dans la banque... et donner beaucoup à mes parents... acheter une ferme.*	• *Ben, je le déposerais pis quand j'en aurais besoin, j'en prendrais.* • *Moi, je sais pas. Je me payerais un château !*	

Alors que les élèves francophones ont systématiquement utilisé le conditionnel, les élèves en immersion, eux, ont privilégié le futur simple ou le futur proche. Cette tendance s'est confirmée lorsque la même question a été posée à des élèves de 6ᵉ et 10ᵉ année. En comparant les réponses des élèves du programme d'immersion précoce avec celles de locuteurs du français L1, on a obtenu les taux suivants.

TABLEAU 7.2	Taux d'emploi du conditionnel pour exprimer un fait incertain	
	Élèves en immersion	**Élèves francophones**
6ᵉ année	41 %	94 %
10ᵉ année	56 %	98 %

Ces résultats mettent en évidence la difficulté que présente l'usage du conditionnel en immersion. Même si l'on note une certaine amélioration entre la 6ᵉ et la 10ᵉ année, il reste que les élèves en immersion utilisent deux fois moins le conditionnel que les francophones, et ce, alors que le contexte grammatical l'exige.

Par ailleurs, il faut également se rendre à l'évidence que les élèves en immersion utilisent très peu le conditionnel à des fins de politesse. On peut l'observer dans une autre étude menée auprès d'élèves en immersion et de francophones du même âge (Lyster, 1993). On leur a donné la tâche d'écrire une courte lettre au propriétaire d'une maison de campagne pour lui demander la permission d'utiliser une bicyclette (Harley et coll., 1990). Les deux tiers des locuteurs natifs ont employé le conditionnel pour que leur demande paraisse moins directe (*J'aimerais pouvoir l'utiliser*), alors que moins du tiers des élèves en immersion y ont eu recours. Ils ont plutôt eu tendance à privilégier les formulations au présent, comme l'illustre le tableau 7.3 de la page 82.

TABLEAU 7.3

TABLEAU 7.3 Formulations employées pour exprimer une demande

Élèves en immersion	Élèves francophones
• Est-ce que je *peux* l'utiliser ? • Je *veux* demander si je peux avoir la permission de l'utiliser.	• Est-ce que je *pourrais* la prendre pendant mon séjour ? • Je *voudrais* vous demander si je peux utiliser votre bicyclette.

La même tendance a été observée dans d'autres tâches où il fallait exprimer une demande ou une plainte. Que ce soit pour demander leur chemin à un inconnu ou pour faire une requête à leurs pairs, les élèves en immersion n'ont presque pas utilisé le conditionnel comparativement à leurs homologues francophones.

Puisque les fonctions du conditionnel sont relativement semblables dans les deux langues, pourquoi les élèves anglophones éprouvent-ils tant de difficulté à l'utiliser en français ? L'encadré suivant présente quelques éléments de réponse.

IMMERSION EN ACTION

Bien qu'il soit peu présent dans le discours de classe, le conditionnel est essentiel pour communiquer en français de manière juste et adaptée au contexte. Il importe de créer davantage de contextes où les élèves seront appelés à percevoir et à utiliser ce temps verbal.

Causes du faible emploi du conditionnel en immersion

1. **Le conditionnel est sous-représenté dans le discours de classe**

   • Comme il représente seulement 3 % des temps verbaux utilisés par les enseignants en immersion, les élèves l'entendent peu et sont rarement appelés à l'utiliser.

2. **Sa forme verbale est plus complexe que son équivalent anglais**

   • En anglais, le conditionnel est composé de l'auxiliaire invariable *would* suivi du verbe à l'infinitif : I *would go*, we *would go*.
   • En français, la forme verbale varie en fonction du nombre et de la personne grammaticale : j'*irais*, nous *irions*.

3. **Les élèves peuvent facilement se faire comprendre sans utiliser le conditionnel**

   • Pour exprimer un fait incertain dans l'avenir, les élèves peuvent opter pour le futur simple ou le futur proche, accompagnés d'adverbes tels que *probablement* ou *peut-être*.
   • Pour exprimer la politesse, les élèves peuvent employer le présent ainsi que des expressions telles que *s'il vous plaît*.

Bien que le conditionnel soit peu utilisé par les enseignants et les élèves en immersion, il s'avère essentiel à l'apprentissage du français. D'abord, énoncer des faits incertains et des hypothèses est nécessaire pour les tâches cognitives complexes et la réussite dans toutes les matières. Ensuite, le conditionnel facilite les interactions sociales puisqu'il permet de s'exprimer avec politesse. C'est pourquoi il est très important de créer des occasions où les élèves pourront le remarquer et l'appliquer. Dans la section suivante, on peut voir un exemple de séquence ayant le conditionnel pour objectif linguistique.

7.2 APPLICATION : COMMENT SERAIT UNE COMMUNAUTÉ PIONNIÈRE DANS L'ESPACE ?

Dans une étude quasi expérimentale, Day et Shapson (1991) ont effectué une intervention axée sur le conditionnel auprès d'élèves de 7e année. Les situations d'apprentissage de cette intervention ont été préparées par Collins et Rioux (1989) et adaptées dans la séquence suivante. Bien qu'elles se soient tenues dans le cadre d'un cours de français, elles pourraient également s'intégrer en sciences humaines et naturelles.

Objectifs disciplinaires

> Faire réfléchir les élèves aux conditions essentielles à la vie humaine
> Les amener à trouver des solutions à des problèmes scientifiques

Objectifs linguistiques

> Faire remarquer les fonctions grammaticales et sociolinguistiques du conditionnel
> Amener les élèves à l'utiliser correctement dans divers contextes

---

7.2.1 PERCEPTION : « LA SURPOPULATION S'AGGRAVE ! »

Le contexte thématique de cette séquence est la planification imaginaire d'une première communauté dans l'espace. Ce contexte est présenté aux élèves sous la forme d'un titre d'article paraissant à la une d'un journal du futur :

Le problème de la surpopulation s'aggrave !
Quelques courageux devront partir fonder une communauté dans l'espace.

Les élèves lisent ensuite la consigne suivante, qui leur demande de planifier et de réaliser une station en orbite ou sur une planète pour accueillir la communauté pionnière. Cette étape instaure un contexte signifiant dans lequel les élèves sont appelés à percevoir la fonction grammaticale du conditionnel : désigner des faits possibles mais incertains dans le futur. Il est à noter que ce projet est de grande envergure et pourrait se réaliser sur une longue période.

Fondez une communauté pionnière dans l'espace !

Supposons que vous soyez des scientifiques, des gestionnaires ou des ingénieurs. L'agence CANADESPACE vous a engagés pour concevoir une station spatiale qui **recréerait** un environnement naturel et où 100 pionniers **pourraient** s'installer.

Pour ce projet, vous devrez planifier puis créer une communauté dans l'espace qui **aurait** :

- un environnement viable pour des humains ;
- un cadre social et technologique bien défini ;
- des pionniers choisis pour leurs qualités personnelles et leur profession.

Pour entamer ce projet, vous devrez réfléchir aux questions suivantes.

1. Quelles sources d'énergie, de lumière, de chaleur, d'oxygène et d'alimentation **choisirait**-on ?
2. Quel climat **voudrait**-on ?
3. À quoi **ressemblerait** l'environnement (urbain ou rural, faune et flore) ?
4. Quel type de candidats **sélectionnerait**-on ?
5. Est-ce qu'on y **installerait** une grande communauté ou plusieurs petites ?
6. Quels **seraient** les moyens de communication et de transport internes ?

(Adapté de Collins et Rioux, 1989.)

7.2.2 CONSCIENTISATION : PRÉDICTIONS ET POLITESSE

Quelques explications préliminaires sur les fonctions grammaticales et sociolinguistiques du conditionnel servent à entamer la phase de la conscientisation. Ces connaissances sont ensuite mises en application dans des jeux ou des exercices linguistiques. Par exemple, dans le jeu des hypothèses ci-après, les élèves doivent choisir le résultat d'expériences diverses, qu'ils peuvent effectuer à la maison, et ensuite expliquer leur réponse. Cet exercice permet de bien cerner la fonction grammaticale du conditionnel tout en s'intégrant à un cours de sciences.

1. **Si vous mettiez au réfrigérateur un ballon gonflé pendant toute une nuit, que se passerait-il ?**
   a) Le ballon prendrait de l'expansion.
   b) Le ballon se dégonflerait.
   c) Le ballon éclaterait.

2. **Si vous posiez un bocal par-dessus une plante pendant 24 heures, que se passerait-il ?**
   a) Les feuilles tomberaient.
   b) Les feuilles jauniraient.
   c) Des gouttelettes d'eau se formeraient dans le bocal.

3. **Si vous mettiez une grosse tranche de pain dans un four à feu doux pendant quelques heures, que se passerait-il ?**
   a) Le poids du pain diminuerait.
   b) Le poids du pain resterait le même.
   c) Le poids du pain augmenterait.

(Adapté de Collins et Rioux, 1989.)

Un autre jeu a pour objectif de mettre en pratique la fonction sociolinguistique du conditionnel et son utilisation comme marqueur de politesse. Le jeu est introduit par ce mot d'esprit :

> *La politesse, c'est comme un matelas pneumatique :*
> *il n'y a rien dedans, mais ça amortit les chocs !*

Puisque les élèves auront à travailler en équipe tout au long du projet, le jeu vise à les habituer à communiquer de façon cordiale. Ils doivent créer des répliques dans lesquelles des requêtes sont formulées de manière « autoritaire » (ex. : *Je veux cette fiche ; donne-la-moi !*), puis « courtoise » (ex. : *Je voudrais cette fiche ; pourrais-tu me la donner ?*).

7.2.3 PRATIQUE GUIDÉE : « SI... ALORS »

La phase de la pratique guidée consiste en un autre jeu linguistique, mais beaucoup plus intégré au contexte de la station spatiale. Pour être recrutée dans le projet de communauté pionnière, chaque équipe doit proposer des conséquences ou des solutions à différents problèmes introduits par *si*. En voici quelques exemples.

- *Si on n'avait pas de montre...*
- *Si l'oxygène se mêlait à l'hydrogène...*
- *Si le climat était trop froid...*
- *Si le soleil brillait continuellement...*
- *Si la communauté voulait un nouveau chef...*

Les équipes disposent de 10 minutes pour imaginer autant de dénouements que possible afin de compléter ces énoncés. Par exemple, *Si le climat était trop froid...* pourrait être suivi de *alors les résidences seraient tout le temps chauffées* ou encore *alors on fabriquerait de bons manteaux*. Puis, l'enseignant ou l'enseignante choisit au hasard une des conditions et demande aux équipes de proposer autant de dénouements que possible en 30 secondes.

7.2.4 PRATIQUE AUTONOME : LA CRÉATION D'UNE STATION SPATIALE

La pratique autonome consiste à réaliser la consigne donnée dans l'activité de perception. En équipes de quatre, les élèves doivent concevoir une station spatiale, soit en orbite ou sur une planète, servant à abriter une communauté pionnière. Chaque élève de l'équipe se voit confier un rôle :

- le ou la gestionnaire (qui s'assure de la participation de tous) ;
- l'ingénieur (qui s'occupe du matériel) ;
- le ou la secrétaire (qui note toutes les décisions) ;
- le ou la responsable du français (qui note chaque utilisation du conditionnel à des fins d'évaluation).

On amorce cette activité par un étayage qui aidera les élèves à exprimer le besoin et la nécessité dans des situations hypothétiques. Voici quelques débuts de phrases utiles (Collins et Rioux, 1989 : 22).

- *Il faudrait absolument...*
- *On aurait certainement besoin de...*
- *On ne pourrait pas vivre sans...*
- *Ça serait important d'avoir...*
- *On mourrait si on n'avait pas de...*

En équipes, les élèves débattent des réponses possibles aux questions posées dans l'activité de perception. Après avoir consulté des ressources pertinentes (ex. : documents sur la Station spatiale internationale et sur les projets en cours pour installer une base sur la Lune), les équipes créent un plan de leur station. Elles réalisent également une maquette ou un collage avec légende explicative pour illustrer leur projet. En complément de cette démarche, les équipes doivent effectuer les tâches suivantes.

a) Rédiger un rapport scientifique qui identifie et justifie dix éléments essentiels à la communauté pionnière.
   Exemple : *Les buissons seraient un élément important, car ils donneraient de la verdure et assureraient le bon fonctionnement du cycle d'oxygène* (Collins et Rioux, 1989).
b) Présenter un rapport oral à l'ensemble de la classe pour décrire leur station spatiale et expliquer leurs choix (voir l'exemple ci-après).
c) Rédiger un article de journal décrivant le fonctionnement de la station spatiale et la vie des habitants.

Voici un exemple de rapport oral présenté à la classe (adapté de Collins et Rioux, 1989 : 33).

Chers citoyens,

Bienvenue à notre station spatiale, que nous proposons de fonder sur la planète Mars. Si nos idées étaient acceptées, nous aurions un mode de vie formidable. Notre station spatiale serait en forme de quatre petits dômes faits de plastique transparent. Nous aurions de l'oxygène en abondance, mais il faudrait quand même faire attention. Il faudrait toujours nettoyer les tuyaux de plastique. Ces tuyaux seraient suspendus dans tous les dômes au plafond.

Il n'y aurait pas de gros animaux parce qu'ils prendraient trop de place. Nous n'aurions pas besoin de beaucoup de nourriture non plus parce que nous aurions des pilules. Alors, il suffirait d'avoir un petit jardin et quelques petits animaux.

Comme moyens de transport locaux, nous utiliserions des tapis aériens et, pour aller d'un dôme à un autre, nous nous servirions d'ascenseurs souterrains supersoniques.

7.3 RÉFLEXIONS : C'EST VOTRE TOUR!

Dans l'étude de Day et Shapson (1991), cette séquence visait principalement à sensibiliser les élèves au conditionnel et avait lieu dans un cours de français. Pourtant, il est évident qu'elle permettait aussi de consolider des connaissances acquises dans d'autres disciplines. Certaines notions relevaient du cours de sciences naturelles, alors que d'autres étaient liées aux sciences humaines, notamment en ce qui a trait aux besoins fondamentaux d'une communauté. Dans la perspective d'une approche intégrée en immersion, il aurait donc pu y avoir des liens plus étroits entre le français et les autres matières.

1. Parmi les cours que vous enseignez en français, lesquels exigent de faire des prédictions et des hypothèses? Que ce soit en sciences naturelles, en sciences humaines ou encore en mathématiques, réfléchissez à une séquence d'enseignement intégrée sur le conditionnel. Pour ce faire, définissez des objectifs disciplinaires et linguistiques et utilisez si besoin le gabarit fourni à l'annexe C.

2. En élaborant votre séquence d'enseignement, tenez compte de la constatation suivante de Day et Shapson: dans les activités d'expression orale, les élèves ont tendance à utiliser le présent plutôt que le conditionnel pour exprimer une possibilité. Selon vous, quelles seraient les solutions pour contrer cette tendance? Serait-il mieux de s'attendre à ce que le conditionnel soit utilisé davantage à l'écrit qu'à l'oral?

3. La solution proposée par Day et Shapson était la désignation dans chaque groupe d'un responsable du français devant noter chaque emploi du conditionnel par un élève. À quel point cette stratégie serait-elle une réussite dans votre classe? Pouvez-vous imaginer d'autres façons d'amener les élèves à utiliser certaines formes dans leur production orale?

CHAPITRE 8

Les verbes
de mouvement

OBJECTIFS

- Constater les différences entre le français et l'anglais quant aux verbes de mouvement

- Réfléchir à des façons d'encourager un emploi fréquent et précis de ces verbes en immersion

8.1 PROBLÉMATIQUE

L'emploi des verbes de mouvement en français représente une difficulté importante pour les apprenants anglophones. C'est que, d'un point de vue lexical, ces verbes sont très différents d'une langue à l'autre. En français, les verbes de mouvement les plus fréquents tels que *descendre, monter, revenir* et *rentrer* expriment à la fois le mouvement et la direction. Par exemple, dans la phrase *Il a descendu l'escalier*, le verbe *descendre* indique un mouvement, mais aussi une direction (vers le bas). Ce n'est pas le cas en anglais, où les verbes de mouvement les plus fréquents tels que *go* et *come* expriment seulement le mouvement. C'est l'ajout d'une particule (comme une préposition ou un adverbe) après le verbe qui permet d'exprimer la direction, comme dans la phrase *He came down the stairs*. Ces verbes à particules sont appelés *phrasal verbs*.

Influencés par l'anglais, les élèves en immersion choisiront spontanément des verbes et des constructions similaires pour exprimer le mouvement. On les entendra donc utiliser les verbes *aller* et *venir* avec des prépositions, comme *Il va en bas de l'escalier* au lieu de *Il descend l'escalier* et *Elle est allée dans la maison* au lieu de *Elle est rentrée* (Harley et King, 1989).

La différence que présentent ces verbes dans les deux langues devient évidente quand on compare des traductions de livres. Prenons comme exemple l'album jeunesse *Peux-tu attraper Joséphine ?* (*Catch that Cat!*) de Stéphane Poulin (2003). En analysant les verbes de mouvement dans l'histoire, on constate qu'ils sont en effet plus variés en français qu'en anglais.

> **IMMERSION EN ACTION**
>
> En anglais, les verbes de mouvement sont généralement employés avec une particule indiquant la direction (*go up, down, out*, etc.), ce qui n'est pas le cas en français. Des verbes comme *descendre* et *monter* indiquent à la fois le mouvement et la direction, sans nécessiter de particule. Cette différence cause une difficulté de taille pour les élèves en immersion.

TABLEAU 8.1	Comparaison des verbes de mouvement dans les versions française et anglaise de *Peux-tu attraper Joséphine ?*
Peux-tu attraper Joséphine ?	**Catch that Cat!**
• **grimpe** dans l'arbre • **s'enfuit** à la course • **sort** en **filant** • **descend** au gymnase • **remonte** l'escalier • **retourne** dans le couloir • **entre** dans les toilettes et **revient** • **descend** l'escalier	• **ran up** the tree • **jumped down** and **ran off** • **ran out** • **went down** to the gym • **went back up** the stairs • **went out** into the hall • **went into** the washroom and **came back** out • was **coming down** the stairs

L'analyse de ce tableau permet d'observer que, pour exprimer les mêmes actions, neuf verbes sont utilisés en français et quatre en anglais (*run, jump, go, come*). Voilà qui présente un réel défi pour les anglophones apprenant le français.

Le verbe *courir* pose un problème particulier, car, contrairement à d'autres verbes de mouvement, il n'exprime aucune direction. Les locuteurs natifs emploient plutôt des verbes de direction comme *rentrer*, *monter* et *descendre* suivis du gérondif de *courir* pour préciser la manière dont le sujet se déplace :

Ils descendent l'escalier en courant.

Quant aux élèves en immersion, ils tendent à utiliser le verbe *courir* suivi d'une locution prépositionnelle, ce qui constitue un calque de l'anglais :

Ils courent en bas de l'escalier.

À première vue, cet énoncé semble clair, mais il n'exprime pas la même idée que *descendre l'escalier en courant*. Il exprime plutôt le fait que le sujet est déjà en bas de l'escalier et court à cet endroit-là (sans avoir nécessairement descendu l'escalier en courant). Cet exemple démontre une fois de plus la nécessité d'utiliser la langue avec précision. S'il est vrai que les verbes de mouvement représentent un défi de taille pour les apprenants du français L2, ils constituent un élément essentiel à une communication claire.

8.2 RÉFLEXIONS

Dans une étude effectuée par Harley et King (1989), on a demandé à des élèves de 6e année en immersion ainsi qu'à des francophones du même âge d'écrire une courte histoire sur le sauvetage d'un chat pris dans un arbre. Ils devaient poursuivre l'histoire qui commençait de la façon suivante :

C'était un beau dimanche d'été et, sur le balcon de la maison des Dupont,
un petit chat dormait tranquillement. Tout à coup, trois chiens...

Voici des exemples de phrases écrites par les élèves francophones et en immersion lors de cet exercice.

TABLEAU 8.2 Verbes de mouvement employés par des locuteurs du français L1 et L2

	L1	L2
L'arrivée des chiens	*Trois chiens **arrivent**.*	*Trois chiens **ont couru** sur le balcon.*
La fuite dans l'arbre	*Le petit chat **a grimpé** dans l'arbre à toute vitesse.* *Le chat **s'est réfugié** en haut d'un arbre.*	*Le petit chat **a couru** dans l'arbre.* *Le chat **court en haut** de l'arbre.*
La fuite dans la piscine	*Les chiens **se sont précipités** dans la piscine.*	*Les chiens **ont couru** dans la piscine.*

On constate que les francophones natifs utilisent une plus grande variété de verbes pour décrire les déplacements. Quant aux élèves en immersion, ils se limitent à utiliser le verbe *courir* comme ils l'auraient fait en anglais, avec la même construction.

Les chiens ont couru sur le balcon.   *Les chiens ont couru dans la piscine.*

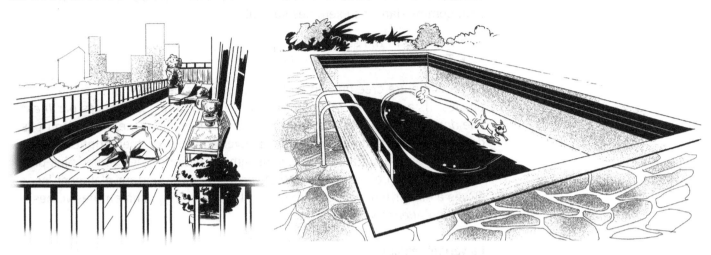

Cette traduction littérale (*run onto the balcony* ➜ *courir sur le balcon*; *run into the pool* ➜ *courir dans la piscine*) cause un problème de sens. Plutôt que de décrire l'arrivée des chiens, elle implique qu'ils sont déjà sur le balcon ou dans la piscine et courent sur place. C'est ce problème logique qu'illustrent les images. Pour exprimer l'idée souhaitée, il aurait été préférable d'écrire: *Les chiens sont arrivés en courant sur le balcon* et *Les chiens se sont précipités dans la piscine.*

Avez-vous déjà remarqué une telle tendance chez vos élèves? Selon vous, quels moyens pourraient être mis en œuvre pour éviter le recours à des verbes passe-partout ou à des constructions calquées de l'anglais? Comme il s'agit là d'un problème essentiellement interlinguistique, la solution la plus efficace consiste peut-être à souligner les différences entre les deux langues.

IMMERSION EN ACTION

Une bonne façon d'aborder les verbes de mouvement en immersion est de souligner leurs différences interlinguistiques. Le fait de comprendre leur variété et leur construction en français aidera les élèves à s'exprimer de manière plus juste.

Les prépositions

Une distinction qui mérite d'être faite est celle entre les prépositions françaises et anglaises, particulièrement en ce qui concerne *dans*, *sur* et *à*. Ces prépositions engendrent une certaine confusion, car elles ont deux traductions possibles en anglais:

a) *into*, *onto* et *to*, qui indiquent la direction;
b) *in*, *on* et *at*, qui indiquent souvent la localisation.

Dans, *sur* et *à* auraient, selon Harley (2007), un sens neutre ou ambigu par rapport à la direction. Comparons ces énoncés avec leur traduction française:

- *She is running into the park.*
- *She is running in the park.*
- *Elle entre dans le parc en courant.*
- *Elle court dans le parc.*

(suite p. 92)

En anglais, dans ces exemples, la distinction entre la direction et la localisation est clairement indiquée par les prépositions *into* et *in*. Dans la traduction française, c'est le verbe *entrer* qui dénote la direction, alors que *dans* marque la localisation dans les deux cas.

Toutefois, les prépositions *in* et *on* peuvent également désigner la direction, comme dans les exemples suivants :

- *He went in the store.*
- *The performers came on stage.*

Cette ambiguïté crée une difficulté de plus pour les apprenants anglophones. Ils auront naturellement tendance à traduire ces énoncés par *Il est allé dans le magasin* et *Les musiciens sont venus sur scène*. Il ne s'agit pas de formulations fautives, mais elles peuvent devenir problématiques si les élèves les emploient à outrance, sans jamais recourir à des verbes plus précis et idiomatiques comme *entrer* et *arriver*. Il est important d'amener les élèves à élargir leur vocabulaire et à utiliser plus fréquemment des verbes autres qu'*aller* et *venir*.

La variété lexicale

Une autre stratégie intéressante consiste à faire remarquer l'utilité des verbes de mouvement en français. Des verbes tels que *(r)entrer*, *(re)monter* et *(re)descendre*, par exemple, permettent une certaine économie de mots et moins de répétition par rapport à l'anglais :

- *rentrer* → *go back in* ;
- *remonter* → *go back up* ;
- *redescendre* → *go back down*.

Cette variété lexicale en français mérite d'être mise en évidence et en pratique dans divers contextes. Si elle semble complexe à première vue, rappelons-nous que les verbes à particules (*phrasal verbs*) sont souvent ce que les apprenants de l'anglais L2 trouvent le plus difficile.

8.3 APPLICATION : LES VERBES DE MOUVEMENT

La séquence d'enseignement suivante est tirée et adaptée d'une étude de Rhonda Wright (1996) en 4e année. L'intervention portait sur les verbes de mouvement et a permis de constater une nette amélioration des élèves. Intégrée au cours de français, la séquence est principalement axée sur la lecture et la rédaction d'histoires. L'activité de pratique guidée « Prédateurs et proies » peut toutefois se dérouler dans un cours de sciences ou d'éducation physique.

8.3.1 PERCEPTION : LES AVENTURES DE JOSÉPHINE

L'enseignant ou l'enseignante lit à haute voix trois livres de Stéphane Poulin : *Peux-tu attraper Joséphine ?*, *As-tu vu Joséphine ?* et *Pourrais-tu arrêter Joséphine ?* Chacun de ces livres est rempli de verbes de mouvement décrivant les aventures du chat. Comme ces récits sont destinés à des lecteurs un peu plus jeunes, les élèves les comprendront aisément, ce qui facilitera le glissement vers une discussion métalinguistique.

À cette étape, il est important que les élèves remarquent la variété de verbes utilisés et leur façon précise de décrire les actions. Durant la lecture à voix haute, il peut être nécessaire de souligner les verbes de mouvement en changeant d'intonation, par exemple. Cette version condensée de *Peux-tu attraper Joséphine ?* donne une idée de leur fréquence et de leur diversité. L'histoire est racontée par Daniel, un jeune garçon qui apporte par erreur sa chatte Joséphine dans son sac d'école. Lorsque le professeur de Daniel s'en aperçoit, elle se met à courir dans l'école.

Peux-tu attraper Joséphine ?

Joséphine <u>est partie</u> d'un seul bond. [...] Elle <u>saute</u> d'un pupitre à l'autre jusqu'à la fenêtre. [...] Elle <u>grimpe</u> dans l'arbre jusqu'au dernier étage. [...] Je la vois <u>entrer</u> dans la bibliothèque. [...] Je <u>monte</u> l'escalier <u>en courant</u> jusqu'à la bibliothèque. [...] Elle me voit et <u>s'enfuit</u> à la course. [...] Cette fois-ci, elle <u>descend</u> au gymnase. [...] Elle <u>remonte</u> l'escalier. Enfin, c'est à son tour d'avoir un problème. Mme Bruno <u>descend</u> l'escalier avec sa classe. La classe de gymnastique <u>monte</u> l'escalier avec moi. Joséphine est coincée.

Extrait de *Peux-tu attraper Joséphine ?*, Stéphane Poulin, 2003.

8.3.2 CONSCIENTISATION : « MONTER » OU « ALLER EN HAUT » ?

Après la lecture, les élèves sont invités à observer des verbes cibles tirés du texte et écrits au tableau. Avec l'enseignant ou l'enseignante, ils discutent de leur signification exacte et de leur occurrence possible avec des prépositions. Par exemple, *entrer* est suivi d'une préposition (*entrer dans*), alors que *monter*, *remonter* et *descendre* ne le sont pas.

Ensuite, l'enseignant ou l'enseignante écrit au tableau la phrase suivante tirée du texte, suivie de son équivalent calqué de l'anglais :

Mme Bruno <u>descend</u> l'escalier avec sa classe.
La classe de gymnastique <u>monte</u> l'escalier avec moi.

Mme Bruno <u>va en bas</u> de l'escalier avec sa classe.
La classe de gymnastique <u>va en haut</u> de l'escalier avec moi.

En groupe-classe, les élèves sont amenés à constater que les constructions de la deuxième phrase sont une traduction littérale de l'anglais (et n'ont pas toujours le même sens). Il s'agit d'un moment idéal pour souligner différents exemples de calques et demander aux élèves s'ils les utilisent. En les comparant avec des phrases tirées du texte, ils pourront remarquer que des verbes comme *monter*, *descendre*, *entrer* et *sortir* sont plus adéquats que le verbe *aller* suivi de prépositions.

8.3.3 PRATIQUE GUIDÉE : PRÉDATEURS ET PROIES

Pour se familiariser avec les verbes cibles, les élèves complètent des exercices à l'écrit tels que des mots croisés et des textes à trous. Voici quelques phrases trouées en guise d'exemple.

> **Remplis les blancs ci-après pour raconter l'histoire de Joséphine en utilisant une seule fois chacun des verbes suivants : *descend, entrer, grimpe, monte, saute, s'enfuit.***
>
> 1. Joséphine _____ d'un pupitre à l'autre jusqu'à la fenêtre.
> 2. Elle _____ dans l'arbre jusqu'au dernier étage.
> 3. Je la vois _____ dans la bibliothèque.
> 4. Elle me voit et _____ à la course.
> 5. Mme Bruno _____ l'escalier avec sa classe.
> 6. La classe de gymnastique _____ l'escalier avec moi.

Ces numéros peuvent également être assortis de mots croisés dans lesquels les élèves inscrivent leurs réponses. L'activité se déroule de façon interactive ou individuelle et doit évidemment être encadrée par la rétroaction corrective.

Une seconde activité consiste en un jeu visant à sensibiliser les élèves aux relations et comportements des proies et des prédateurs dans la nature (voir http://www.birdday.org/2014materials/PredatorPrey.pdf). Ce jeu nommé *Prédateurs et proies* a lieu dans la cour de l'école et peut être intégré au cours de sciences ou d'éducation physique. Certains élèves sont désignés comme étant des prédateurs (ex. : faucon, aigrette) et d'autres comme étant des proies (ex. : souris, poissons). Les prédateurs doivent capturer les proies dont ils ont besoin pour survivre. Par exemple, un faucon a besoin de quatre souris ou deux serpents, tandis qu'une aigrette a besoin d'un poisson ou deux grenouilles. Une fois « tuée », la proie est étiquetée et ne peut pas être capturée de nouveau.

L'explication des rôles des prédateurs et des proies ainsi que des règlements du jeu expose les élèves à une variété de verbes de mouvement (ex.: *Le prédateur doit <u>poursuivre</u> sa proie, alors que la proie doit <u>fuir</u> son prédateur*). Après le jeu, les élèves sont invités à discuter de leurs stratégies de chasse et de survie. Avec l'appui d'un questionnement et d'une rétroaction corrective efficaces, on pourrait s'attendre à des énoncés comme les suivants.

- *Quand Xiao le faucon me poursuivait, je suis sortie du terrain de jeux pour me cacher derrière un arbre.*
- *Je poursuivais Miguel le serpent, mais il a traversé la cour en courant trop rapidement, donc je n'ai pas réussi à l'attraper.*
- *Pendant que je montais l'échelle, Shana la souris a descendu la glissade pour s'enfuir.*

Cela leur offre l'occasion d'utiliser les verbes appris, tout en bénéficiant d'un questionnement et d'une rétroaction corrective efficaces.

8.3.4 PRATIQUE AUTONOME : LA CONCEPTION DE LIVRES ILLUSTRÉS

Pour clore la séquence, les élèves conçoivent des histoires inspirées par les aventures de Joséphine. En petites équipes de deux ou trois, ils écrivent un récit de poursuite avec de nouveaux personnages ou les mêmes que dans les livres. Durant cette activité, ils suivent le processus d'un atelier d'écriture :

Remue-méninges ➜ Brouillon ➜ Rétroaction ➜ Révision ➜ Version définitive

Le résultat final consiste en un livre illustré qu'ils liront à leur groupe et exposeront dans la classe.

CHAPITRE 9

Le genre grammatical

OBJECTIFS

- Comprendre les difficultés posées par le genre grammatical en français

- Interpréter les indices du genre qui se trouvent dans les terminaisons de nombreux noms

- Réfléchir à des façons de sensibiliser les élèves aux indices du genre

9.1 PROBLÉMATIQUE

Si le genre grammatical s'acquiert de manière naturelle chez les francophones natifs, il représente un véritable défi pour les apprenants de L2. C'est que, contrairement aux anglophones, les locuteurs du français L1 font un apprentissage implicite du genre des mots. Ils apprennent simultanément les déterminants et les noms comme des blocs (ex.: *latable*) et perçoivent ainsi le genre comme inhérent au nom (Carroll, 1989). Les apprenants du français L2, eux, identifient les déterminants et les noms comme des entités distinctes (Carroll, 1989). Cela rend l'apprentissage du genre très difficile, mais aussi incomplet, car il ne va pas de soi.

Même après plusieurs années d'apprentissage, les anglophones apprenant le français peinent à utiliser les marqueurs de genre adéquats. Cela est aussi vrai pour les enfants que pour les adultes, peu importe le contexte ou le type de production (Carroll, 1989: 575). De multiples raisons peuvent expliquer ces compétences bien en deçà de celles des locuteurs natifs. Harley (2013) en a cerné six chez les élèves en immersion, dont nous avons retenu les trois suivantes.

> **Principales causes des difficultés posées par le genre grammatical**
>
> 1. Les noms anglais n'ayant pas de genre grammatical, ce concept n'est pas familier pour les apprenants anglophones.
> 2. Dans les premières étapes de l'apprentissage, les élèves se concentrent davantage sur le sens des noms que sur leur genre.
> 3. En l'absence d'une sensibilisation adéquate, les élèves tendent à reproduire les erreurs de leurs pairs.
>
> (Harley, 2013: 50-51.)

Harley remarque que, pour pallier cette difficulté, les élèves en immersion tendent à produire un déterminant ambigu, à mi-chemin entre *le* et *la* ou *un* et *une*. Cette stratégie habile, écrit-elle, « risque de ne pas être remarquée par l'enseignant ou l'enseignante qui, d'une part, entend ce qu'il ou elle s'attend à entendre et, d'autre part, se concentre sur le contenu de ce que l'élève est en train de dire » (Harley, 2013: 51-52). Il est très important de déjouer ce type de stratégie pour éviter que l'apprentissage du genre grammatical ne stagne. Les enseignants disposent de plusieurs moyens à cet effet. Ils peuvent inciter les élèves:

- à toujours inclure les déterminants avant les noms;
- à prononcer les formes féminines et masculines des déterminants de manière distincte.

Cette nécessité de réfléchir au genre de manière constante stimulera l'apprentissage des élèves et favorisera une amélioration continue. Cependant, comment les amener à déterminer le genre grammatical des noms plus facilement?

IMMERSION EN ACTION

Il est recommandé d'inciter les élèves à toujours produire le déterminant approprié avant un nom. Cette stratégie les obligera à réfléchir au genre grammatical de manière constante et soutenue.

Il faut admettre qu'en classe d'immersion, les élèves travaillent davantage l'accord des déterminants et des adjectifs que le genre des noms proprement dit. C'est que les exercices de grammaire qu'on retrouve en classe sont souvent conçus pour des francophones et supposent une connaissance intuitive du genre grammatical. Or, comment les élèves pourraient-ils accorder les déterminants et les adjectifs s'ils ne connaissent pas le genre des noms ? Avant de se concentrer sur l'accord, ils devraient au moins connaître les principes qui régissent l'attribution du genre.

Précisions sur l'attribution du genre

- L'attribution du genre est une caractéristique inhérente aux noms et ne varie pas. Par exemple, le genre attribué au mot *soleil* est masculin, alors que celui de *lune* est féminin.
- Toutefois, certains noms désignant des êtres animés varient selon le sexe biologique du référent. C'est le cas de *cuisinier/ cuisinière* ou encore d'*étudiant/ étudiante*.
- Il faut distinguer l'attribution de l'accord du genre, qui est une caractéristique des déterminants et des adjectifs. Ces derniers s'accordent avec les noms auxquels ils se rapportent : *la lune est pleine*.

À première vue, l'attribution du genre « biologique » peut sembler plus évidente que celle du genre grammatical. Cependant, les indices biologiques sont parfois trompeurs. Voici pourquoi.

- Au pluriel, le masculin l'emporte sur le féminin, de sorte qu'on réfère à un groupe composé d'un seul homme et de plusieurs femmes comme étant *des étudiants*.
- Certains **noms épicènes** comme *une personne, un individu* et *une victime* ont un genre fixe, peu importe le sexe du référent.
- C'est également le cas pour les noms d'animaux épicènes, qui ne varient pas en fonction du sexe : *une souris, une baleine, une girafe, un saumon*.

L'approche qui consiste à déterminer le genre d'un nom selon le sexe biologique du référent peut ainsi rencontrer plusieurs écueils. La présence d'indices biologiques est utile, mais elle ne peut servir de modèle. Qui plus est, la plupart des noms ont un genre grammatical invariable et donc sans lien avec leur référent.

On a vu au chapitre 5 que, contrairement à la croyance commune, le genre grammatical des noms n'est pas arbitraire. Il existe des indices fiables qui permettent de le déterminer dans la terminaison des noms. Par exemple, la terminaison *-er* est en principe masculine, ce qui permet de connaître le genre du mot *verger*. Il en est de même pour la terminaison féminine *-ière*, qui prédit le genre du mot *salière*. Les noms dont le genre biologique varie, comme *cuisinier/cuisinière*, ne font pas exception. On retrouve également des principes morphologiques analogues dans la formation des adjectifs masculins et féminins tels que *premier* et *première*.

Un **nom** est **épicène** s'il désigne à la fois le genre masculin et féminin du référent. Il en existe deux types.

a) L'un varie en genre, mais garde la même forme orthographique : *un/une élève, un/une journaliste, un/une astronaute*.

b) L'autre ne varie pas selon le sexe : *une mouche, un moineau, un serpent*.

Ce sont là des correspondances qui méritent d'être soulignées en immersion. En se familiarisant avec les terminaisons typiquement masculines et féminines, les élèves pourront plus facilement prédire le genre des noms et former les adjectifs. Cela réduira l'effort de mémorisation et leur permettra de mieux comprendre la logique de la langue. À cet effet, la section suivante examine de plus près les différents indices du genre.

9.2 RÉFLEXIONS : LES INDICES DU GENRE

On regroupe les indices du genre grammatical en deux types.

- Les premiers sont dits *lexicaux* : on les retrouve à l'extérieur du nom sous forme de déterminants, d'adjectifs et de pronoms.
- Les seconds sont dits *sublexicaux* : ils se trouvent à l'intérieur du nom, dans la terminaison.

Cette section permet de comprendre les caractéristiques de ces deux types d'indices ainsi que leur utilité respective.

9.2.1 LES INDICES LEXICAUX

On présume souvent que c'est grâce aux indices lexicaux que l'on apprend le genre grammatical des noms. Les déterminants, les adjectifs et les pronoms permettraient aux apprenants de connaître et d'assimiler le genre des noms qu'ils accompagnent. Mais les indices lexicaux sont-ils aussi fréquents qu'on le croit ? Voici un petit test rapide pour répondre à cette question. Parmi les phrases nominales suivantes, indiquez celles qui contiennent un indice lexical du genre grammatical.

Où sont les indices lexicaux ?

1. Des coupes de cheveux
2. Deux conséquences graves
3. La chandelle
4. Le trésor royal
5. Les cheveux
6. Les montagnes
7. Ma nouvelle feuille
8. Notre livre de lecture
9. Ses vêtements
10. Un bijou précieux
11. Un grand repas copieux
12. L'enveloppe
13. Une petite cravate
14. Votre travail de français

L'analyse de cet échantillon révèle que les déterminants et les adjectifs marquant le genre ne sont pas aussi fréquents qu'on le prétend. Dans des recensions d'articles de journaux (Ayoun, 2010) et de discours d'enseignants en immersion (Poirier, 2012), on a découvert que seulement 50 % des noms étaient accompagnés d'indices du genre lexicaux. Le reste des noms employés n'avait pas de marqueur de genre (ex. : *notre livre de français* ; *deux conséquences graves*). Le pluriel ou encore l'élision du déterminant devant une voyelle faisaient partie des facteurs éliminant les marques du genre. Par ailleurs, une récente étude menée en immersion (Poirier et Lyster, 2014) a démontré que les pronoms objets directs de la 3e personne (ex. : *je la vois* ; *il le mange* ; *tu les veux* ; *je l'écoute*) n'offrent pas de meilleurs indices. En effet, seulement 29 % des pronoms objets utilisés par les enseignants permettaient de déterminer le genre du référent.

Dans les faits, les élèves peuvent difficilement déduire le genre grammatical grâce aux indices lexicaux. Il faut donc s'assurer qu'ils aient d'autres indices à leur disposition pour comprendre les régularités dans l'attribution du genre et les appliquer.

9.2.2 LES INDICES SUBLEXICAUX

Les indices sublexicaux s'avèrent nettement plus fiables que les indices lexicaux pour prédire le genre grammatical des noms. Il existe en effet une « relation systématique » entre la terminaison du nom et son genre (Tucker, Lambert et Rigault, 1977 : 64). J'ai corroboré ce constat dans une analyse d'un corpus de près de 10 000 noms tirés du dictionnaire *Le Robert Junior illustré* (Lyster, 2006). Selon cette analyse, 80 % de tous les noms se terminaient par un indice fiable du genre, alors que seulement 20 % avaient une terminaison ambiguë. Ces données ont été brièvement abordées au chapitre 5.

Un indice fiable du genre est une terminaison nominale qui marque le même genre dans au moins 90 % des cas. Les autres terminaisons sont considérées comme ambiguës. Précisons que, dans ce chapitre, une terminaison renvoie à la représentation orthographique d'un son de voyelle seule (ex. : *-ie* dans *bougie*) ou suivie d'une ou de plusieurs consonnes (ex. : *-elle* dans *chandelle*, *-arde* dans *écharde*).

Les tableaux suivants présentent une sélection de terminaisons typiquement féminines, masculines ou ambiguës. Une recension complète des terminaisons indiquant le genre se trouve à l'annexe D. Je tiens toutefois à souligner que ces tableaux ne sont pas destinés aux élèves. L'idée est bien qu'ils assimilent ces terminaisons au fil de la pratique, et non qu'ils les mémorisent par cœur.

TABLEAU 9.1   Terminaisons typiquement féminines

-aie, -oue, -ue	la monnaie, la boue, la rue
-tion, -sion	une action, une expression
-té, -ée, -ie	une difficulté, une soirée, la vie
-asse, -ace, -esse, -isse, -ance, -ence	la classe, la place, la promesse, une bâtisse, une chance, une agence
-enne, -onne, -ine, -aine	une moyenne, la colonne, la cuisine, une chaîne
-ande, -ade, -ude, -arde	la viande, une façade, une étude, la moutarde
-euse, -aise, -ise, -ose	une berceuse, une chaise, la valise, la chose
-ache, -iche, -oche, -(o)uche	la moustache, la fiche, une roche, une bouche
-ave, -ive	une cave, la lessive
-ière, -ure	la lumière, une blessure
-ette, -otte, -ante, -ente, -inte	une brouette, une grotte, une plante, une pente, une pinte
-elle, -ille	une échelle, une famille

TABLEAU 9.2   Terminaisons typiquement masculines*

-an, -ant, -ent, -en, -in	le plan, le gant, un changement, un moyen, un bulletin
-on (sans compter les noms terminés par -tion, -sion, -çon ou -son)	un chaudron
-eau, -au, -o, -ot	un bateau, un tuyau, le lavabo, le coquelicot
-ai, -ais, -ait, -ès, -et	le balai, un rabais, le lait, le progrès, un chalet
-er, -é après C (C ≠ t)	le danger, un congé
-ou, -out, -eu	le trou, un égout, le pneu
-i, -il, -it, -is	un cri, un outil, le bruit, le colis
-ac, -at, -as	un lac, le climat, un repas
-u, -ut, -us, -um	le contenu, un début, le terminus, un aquarium
-age, -ème, -ome, -isme	le pourcentage, un thème, un diplôme, le cyclisme
-al, -el, -ol, -ail, -eil	un festival, le ciel, un vol, le travail, le soleil
-ar, -ard, -our(s), -or(d), -ort, -ir, -oir	un cauchemar, un hasard, le concours, le trésor, un ressort, un plaisir, un tiroir
-eur (si animé)	un rêveur

*C = consonne

TABLEAU 9.3	Terminaisons typiquement ambiguës*
-a, -ia, -oi, -çon, -son	*la pizza, le cinéma; une cafétéria, un pétunia; une loi, un emploi; la leçon, le glaçon; la prison, le blouson*
-ique	*la politique, le plastique*
-ide, -ode	*une arachide, un liquide; une commode, un épisode*
-ane, -ène, -one	*une cabane, un crâne; la scène, le phénomène; une hormone, le carbone*
-be, -pe, -phe, -me, -gne	*une herbe, un verbe; la loupe, le groupe; une autographe, un paragraphe; la palme, le calme; une vigne, un signe*
-le après C ou V (C ≠ *l*)	*la boucle, le cercle; une céréale, un scandale*
-te après C ou V (C ≠ *t, n*)	*une veste, un geste; une otite, un site*
-re après C ou V (V ≠ *u, iè*)	*la terre, le verre; une gare, un phare*
-eur (si inanimé)	*une hauteur, un ordinateur; une fleur, un cœur*

*C = consonne, V = voyelle

9.2.3 DES INDICES ORTHOGRAPHIQUES OU PHONOLOGIQUES?

Est-ce la graphie ou le son qui détermine le genre d'une terminaison? Pour répondre à cette question, observez les exemples rassemblés dans le tableau suivant.

TABLEAU 9.4	Terminaisons orthographiques et phonologiques		
Son	**Graphie**	**Genre***	**Exemples**
[i]	*-ie*	F	*une toupie, la vie*
	-i, -is, -it	M	*un parti, le tapis, le lit*
[ɛ], [ø],	*-aie, -eue, -oue*	F	*la baie, la queue, la boue*
[u]	*-ai, -eu, -ou*	M	*un balai, un feu, un bijou*
[ɛR]	*-air, -er, -ert*	M	*un éclair, un hiver, un désert*
	-aire, -erre	A	*la molaire/le salaire, la serre/le tonnerre*
[ɛl]	*-elle*	F	*une ficelle*
	-el	M	*le manuel*
	-èle	A	*la clientèle/le modèle*
[as], [a]	*-as*	M	*un atlas, un bras*
[ɛs], [ɛ]	*-ès*		*le palmarès, le succès*
[ys], [y]	*-us*		*un virus, un intrus*

*M = masculin, F = féminin, A = ambigu

L'analyse de ces terminaisons montre que c'est bien l'orthographe qui en détermine le genre, et non la sonorité. C'est aussi vrai pour une graphie ayant deux sonorités différentes (*un atlas, un bras*) que pour différentes graphies partageant le même son (*une ficelle, un manuel*). Les habiletés en orthographe sont donc très utiles pour interpréter les indices sublexicaux.

Que la graphie l'emporte sur la sonorité ne devrait pas pour autant vous empêcher d'aborder le genre grammatical très tôt dans l'apprentissage. C'est que, dans de nombreux cas, la sonorité des terminaisons fournit tout de même un bon indice du genre. C'est ce que vous pourrez constater dans l'annexe D, où les terminaisons sont classées selon leur son final.

IMMERSION EN ACTION

C'est la graphie de la terminaison, et non sa sonorité, qui indique le genre d'un nom. C'est pourquoi il est essentiel de développer de bonnes compétences orthographiques pour analyser les indices du genre.

Quelques exceptions

Il existe, bien sûr, des exceptions, et ce, même pour les indices sublexicaux les plus fiables. En voici quelques-unes.

- *Le squelette*, *le silence* et *un incendie* sont masculins bien que leurs terminaisons soient typiquement féminines.
- Malgré une quantité importante de noms masculins terminés en *-age*, six sont féminins et relativement fréquents : *cage*, *image*, *nage*, *page*, *plage* et *rage*.

Ces exceptions peuvent évidemment causer quelques difficultés. Cependant, comme le remarque Harley (2013 : 61), il n'est pas nécessaire de les aborder dès le départ. Il est même préférable de commencer par familiariser les élèves aux tendances générales du genre, pour revenir aux exceptions plus tard. Rappelons que les indices sublexicaux présentés dans cet ouvrage déterminent le genre dans plus de 90 % des cas, même parfois 100 % (voir l'annexe E).

Le cas de la terminaison [ɔ̃]

Les noms se terminant par le son [ɔ̃] sont très nombreux en français ; en fait, *Le Robert Junior illustré* en compte plus de mille. Cependant, aucune règle ne permet de leur attribuer un genre grammatical fixe. Il existe néanmoins quelques régularités permettant de s'y retrouver.

- Les terminaisons *-om*, *-omb*, *-onc*, *-ond*, *-ont* et *-on* sont masculines : *un nom*, *le plomb*, *un tronc*, *un rond*, *le pont*, *le ballon*.
- Les terminaisons *-tion* et *-s(s)ion* sont féminines (de même que la terminaison exceptionnellement dissyllabique *-aison*) : *une éducation*, *la télévision*, *une session*, *une saison*.

IMMERSION EN ACTION

Les indices du genre sublexicaux méritent d'être abordés de façon régulière en immersion. Il est conseillé que les enseignants développent des moyens mnémotechniques pour faciliter l'assimilation de ces connaissances par les élèves.

Signalons que la sensibilisation au genre grammatical mérite une attention continue dans le programme d'immersion. Les élèves ont besoin d'interventions proactives, mais aussi d'étayage et de rétroaction pour encadrer leurs productions de tous les jours. C'est pourquoi il est conseillé que les enseignants développent une excellente connaissance du genre indiqué par les terminaisons, de même que des moyens mnémotechniques pouvant guider les élèves. Le fait de signaler ces astuces dans des contextes variés et réguliers facilitera l'assimilation de ces connaissances. La section suivante est consacrée à d'autres régularités et outils qui peuvent vous aider en ce sens.

9.3 RÉFLEXIONS : AUTRES RÉGULARITÉS UTILES

Si les terminaisons des noms constituent d'excellents indices du genre, il existe d'autres informations qui peuvent parfois entrer en ligne de compte. Voici quelques considérations qui fourniront un complément utile à l'enseignement du genre grammatical. Pour alimenter vos réflexions, consultez au besoin la section précédente ainsi que l'annexe E.

9.3.1 LES NOMS COMPOSÉS ET ABRÉGÉS

L'analyse des terminaisons réalisée dans la section précédente excluait les noms composés et abrégés. C'est que la forme de ces noms est transformée et implique souvent une analyse différente. Examinez les ensembles de mots suivants et déterminez ce qui en indique le genre.

TABLEAU 9.5   Les noms composés

Verbe + nom	Verbe + verbe	Nom + nom
un lave-vaisselle	*le savoir-faire*	*un chou-fleur*
un sèche-cheveux	*le va-et-vient*	*une pause-café*
un amuse-gueule	*le laissez-passer*	*un mot-clé*
un taille-crayon	*le laisser-aller*	*une station-service*

TABLEAU 9.6   Les noms abrégés

Formes tronquées	Acronymes
une photo	*un cégep*
une moto	*la TPS*
un micro	*le PQ*
une télé	*la TVP*
la manif	*un ovni*
la clim	*le sida*

L'observation des ensembles de noms ci-dessus permet de tirer les conclusions suivantes.

a) Les noms composés débutant par un verbe sont masculins.
b) Les noms composés débutant par un nom prennent le genre de ce nom.
c) Les noms tronqués ont le même genre que dans leur forme initiale.
d) Les acronymes prennent le genre du premier nom qui les compose.

9.3.2 LES TERMINAISONS COMMUNES AUX ADJECTIFS ET AUX NOMS

On attire parfois l'attention des élèves sur la différence entre un adjectif masculin (ex. : *beau*) et son équivalent féminin (*belle*). Par conséquent, les élèves sont susceptibles de bien connaître les formes masculine et féminine de certains adjectifs courants, sans pour autant réussir à les accorder adéquatement aux noms.

Supposons que les élèves connaissent bien les formes finales des adjectifs suivants.

content	contente	pareil	pareille
fin	fine	plein	pleine
mauvais	mauvaise	prochain	prochaine
nouveau	nouvelle		

Ces connaissances sur la terminaison des adjectifs pourraient facilement être appliquées aux noms. En se fiant à leurs connaissances sur les adjectifs, quel genre les élèves devraient-ils attribuer à chacun des noms suivants ?

IMMERSION EN ACTION

Dans de nombreux cas, les élèves connaissent bien les finales masculines et féminines des adjectifs. Or, on retrouve souvent les mêmes terminaisons dans les noms, ce qui permet d'en prédire le genre plus facilement.

bâtiment	chemin	falaise	peine	rondelle
bouteille	conseil	frein	piscine	soleil
chaise	coussin	lendemain	rabais	tente
chandelle	descente	oreille	racine	veine
château	dessein	palais	rideau	vente

On constate que, en ce qui a trait au genre, la terminaison de ces noms suit les mêmes règles que pour les adjectifs. Par exemple, les terminaisons masculine et féminine -eau et -elle déterminent autant le genre de l'adjectif nouveau/nouvelle que des noms château et chandelle.

Or, l'attention des élèves est rarement attirée sur le fait que les formes masculine et féminine des adjectifs correspondent souvent à celles des noms. Lorsque les occasions pour le faire se présentent, ce serait un excellent moyen d'étayer l'apprentissage du genre grammatical.

9.3.3 LE CAS DU E MUET FINAL

Les élèves sont souvent amenés à croire que les noms se terminant par un *e* muet sont féminins. C'est que, dans les faits, très peu de noms masculins se terminent ainsi. Mais à quel point peut-on se fier à cette règle ? Pour répondre à cette question, identifiez le genre grammatical des noms suivants, qui se terminent tous par un *e* muet. Puis, déterminez lesquelles de ces terminaisons sont typiquement féminines, masculines ou ambiguës.

ban**ane**	dr**ogue**	méth**ode**	sand**ale**
banque	é**cole**	myst**ère**	satel**lite**
bar**rage**	gramm**aire**	pays**age**	scand**ale**
ch**ange**	gr**ange**	pétr**ole**	**signe**
c**ode**	graph**ique**	pol**itique**	**table**
col**ère**	her**be**	pro**pane**	terror**isme**
cr**ime**	journal**isme**	réuss**ite**	**verbe**
dial**ogue**	**lame**	**rime**	**vigne**
drame	**manque**	s**able**	vocabul**aire**

L'analyse de ces terminaisons permet de conclure que la très grande majorité ne sont pas typiquement féminines, mais ambiguës : la col*è*re / le myst*è*re ; un dr*ame* / une l*ame* ; une éc*ole* / le pétr*ole*. Par ailleurs, les terminaisons *-isme* et *-age* sont masculines et relativement fréquentes. Ainsi, bien que la majorité des noms féminins se terminent par un *e* muet, on ne peut pas en faire un indice fiable du genre. Une règle de base plus sûre serait la suivante : **l'absence d'un *e* muet final est un important indice du genre masculin** (l'exception la plus notable étant *-tion / -sion*).

9.3.4 LES CATÉGORIES SÉMANTIQUES

Les grammaires proposent souvent des catégories sémantiques comme indices du genre. Dans le tableau suivant, indiquez si la catégorie sémantique relève du masculin ou du féminin et donnez un exemple.

Catégorie sémantique	Genre	Exemple
Langues		
Jours de la semaine		
Disciplines scolaires (sauf les langues)		
Saisons		
Mois		
Éléments chimiques et métaux		
Mesures métriques		
Couleurs		

De tels indices sémantiques sont utiles, mais risquent de créer une confusion entre le genre de la catégorie et celui de ses composantes. Par exemple, même si les mots désignant les quatre saisons sont tous masculins (*un hiver, un printemps, un été, un automne*), le mot *saison*, lui, est féminin. De plus, alors que les noms de langues sont masculins (*le français, le russe*), le mot *langue*, de son côté, est féminin. C'est pourquoi il faut user de ces outils avec prudence. En se fiant uniquement aux indices sémantiques, les élèves pourraient croire à tort que le genre des noms est déterminé par leur sens plutôt que leur forme.

9.3.5 RIMES ET CHATOUILLEMENTS

Les rimes que l'on retrouve dans les chansons et les comptines offrent une façon amusante de mettre en relief certaines terminaisons auprès des jeunes. Chanter ou écouter des chansons devient alors à la fois une source de plaisir et d'apprentissage. Notez l'humour présent dans les vers suivants extraits d'une chanson de Carmen Campagne (Kaldor, Campagne et Campagne, 1995) :

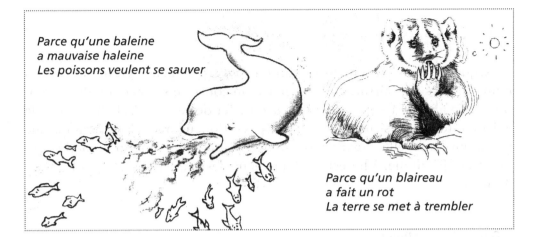

Parce qu'une baleine
a mauvaise haleine
Les poissons veulent se sauver

Parce qu'un blaireau
a fait un rot
La terre se met à trembler

Tout en étant amusants, ces vers peuvent servir à souligner les similitudes de genre et de terminaison entre *baleine* et *haleine* et entre *blaireau* et *rot*. Les rimes ont ceci de précieux qu'elles chatouillent les oreilles et qu'on ne les oublie jamais!

Les deux prochaines sections proposent des séquences d'enseignement sur les indices du genre sublexicaux. Vous y verrez que les terminaisons des noms peuvent être abordées dans des contextes disciplinaires variés et, surtout, de manière à susciter l'intérêt. N'hésitez pas à y puiser les outils nécessaires pour construire vos propres activités.

Vidéo 6: Le genre grammatical en mathématiques
En complément du chapitre, on peut voir comment Shannon Philippe réussit à intégrer le genre grammatical à son cours de mathématiques en 8e année. L'objectif disciplinaire de la séquence est de comprendre comment additionner et soustraire des fractions. Quant à l'objectif linguistique, il vise la connaissance de certains indices du genre.

Durant la phase de la perception, Shannon présente à l'écran la marche à suivre pour additionner et soustraire des fractions avec ou sans dénominateur commun. Elle se sert d'un texte où certains mots cibles sont soulignés (ex.: *une portion, une partie*). Lors de la conscientisation, Shannon distribue ce texte aux élèves et leur demande d'identifier les terminaisons qui sont féminines et celles qui sont masculines. Elle leur fournit ensuite plusieurs livres à feuilleter en équipe pour trouver le plus grand nombre possible de noms se terminant par *-tion, -ie, -eau* et *-ier*. La mise en commun qui en découle laisse place aux jeux, qui constituent la pratique guidée. Enfin, pour la pratique autonome, chaque élève doit créer un livre avec le programme Book Creator pour illustrer la procédure d'addition et de soustraction des fractions. Ce travail est à la fois écrit et oral et implique d'utiliser le bon genre.

En visionnant la vidéo, imaginez comment vous pourriez intervenir de manière à donner davantage de rétroaction corrective lors de la pratique autonome.

9.4 APPLICATION : LE GENRE DES NOMS EN ENVIRONNEMENT

La séquence d'enseignement suivante porte sur le genre grammatical des noms de pays et pourrait être intégrée à un cours de sciences ou de géographie. Elle aborde les émissions de gaz à effet de serre à l'échelle mondiale et l'iniquité qui persiste entre certains pays. Conçue pour s'insérer dans une unité plus large, elle illustre la possibilité qu'une intervention proactive soit brève et spécifique. Elle est normalement destinée à des élèves de 7ᵉ ou 8ᵉ année.

Objectif disciplinaire
> Susciter une réflexion sur l'apport du Canada dans la lutte mondiale contre les émissions de gaz à effet de serre

Objectif linguistique
> Sensibiliser les élèves aux terminaisons indiquant le genre des noms de pays

9.4.1 PERCEPTION : LA RÉPARTITION DES ÉMISSIONS DE GAZ À EFFET DE SERRE

Les élèves commencent par examiner soigneusement les données présentées dans le tableau suivant. En groupe-classe, ils interprètent les catégories et comparent les émissions des différents pays. L'enseignant ou l'enseignante peut attirer leur attention sur les déterminants précédant les noms de pays, et, si besoin, les situer sur une carte.

Émissions de gaz à effet de serre en 2000 et pourcentage des émissions de CO_2 entre 1850 et 2000 (source : Tsayem Demaze, 2009)			
	Pourcentage du total mondial en 2000	Tonnes de carbone par habitant en 2000	Pourcentage des émissions totales entre 1850 et 2000
Les États-Unis	20,7	6,6	29,8
La Chine	14,8	1,1	7,3
La Russie	14,0	2,8	27,2
L'Inde	5,5	0,5	2,0
Le Japon	4,0	2,9	4,1
L'Allemagne	2,9	3,2	7,5
Le Brésil	2,5	1,3	1,0
Le Canada	2,1	6,3	2,1
La Grande-Bretagne et l'Irlande du Nord	2,0	3,1	6,5
La France	1,5	2,3	3,0

9.4.2 CONSCIENTISATION : LE GENRE DES NOMS DE PAYS

Les élèves sont ensuite amenés à proposer des régularités concernant le genre des noms de pays. Pour ce faire, ils classent les pays du tableau selon leur genre et déterminent les points communs de chaque catégorie.

- La Chine, la Russie, l'Inde, l'Allemagne, la Grande-Bretagne, l'Irlande du Nord et la France sont féminins.
- Les États-Unis, le Japon, le Brésil et le Canada sont masculins.

À l'aide d'atlas et d'autres ressources, les élèves vérifient si leurs propositions de règles sont exactes. Finalement, l'enseignant ou l'enseignante les aide à formuler les régularités suivantes, tout en notant que six exceptions ne sont pas de trop sur un total de presque 200 pays !

a) Les noms de pays qui se terminent par la lettre *e* sont féminins, à l'exception de cinq pays : le Belize, le Cambodge, le Mexique, le Mozambique et le Zimbabwe.
b) Tous les autres noms sont masculins.

9.4.3 PRATIQUE GUIDÉE : QUESTIONS-RÉPONSES

Dans un premier temps, les élèves répondent aux questions suivantes concernant les données présentées dans l'activité de perception. Leurs réponses fournissent de bonnes occasions de rétroaction non seulement sur l'interprétation des données, mais aussi sur le genre des noms de pays.

1. Identifie les trois pays dont le pourcentage d'émissions est plus élevé en 2000 qu'entre 1850 et 2000.
   R. : La Chine, l'Inde, le Brésil.
2. Identifie les six pays dont le pourcentage d'émissions est moins élevé en 2000 qu'entre 1850 et 2000.
   R. : Les États-Unis, la Russie, le Japon, l'Allemagne, la Grande-Bretagne et l'Irlande du Nord, la France.
3. Quel est le seul pays développé qui n'a pas réduit le pourcentage de ses émissions en 2000 ?
   R. : Le Canada.
4. Quels sont les deux pays produisant le plus de gaz à effet de serre par habitant ?
   R. : Les États-Unis et le Canada.

Dans un second temps, la classe est divisée en deux grandes équipes pour participer à un quiz sur les noms de pays. Pour obtenir un point, il faut nommer le bon pays accompagné du déterminant approprié. Sinon, l'autre équipe a le droit de réplique. Voici quelques exemples de devinettes sur des pays ciblés dans la séquence. Notez toutefois que, dans l'idéal, cette activité devrait cibler de nombreux pays pour assurer une bonne proceduralisation des connaissances.

1. Ensemble, nous formons le Royaume-Uni. *R. : La Grande-Bretagne et l'Irlande du Nord.*
2. Je suis le pays d'accueil des Jeux olympiques en 2016. *R. : Le Brésil.*
3. Je suis le pays le plus peuplé au monde. *R. : La Chine.*
4. La majorité de mes habitants pratiquent l'hindouisme. *R. : L'Inde.*
5. Tokyo est ma capitale. *R. : Le Japon.*
6. En 2017, je fête mes 150 ans. *R. : Le Canada.*
7. Je suis le plus grand pays au monde. *R. : La Russie.*

9.4.4 PRATIQUE AUTONOME : L'APPORT DU CANADA

En conclusion, les élèves doivent répondre à la question suivante par écrit ou lors d'un débat oral.

Comment peut-on situer le Canada sur le plan international en ce qui a trait à ses efforts pour réduire ses émissions de gaz à effet de serre ?

Pour répondre à cette question, les élèves doivent prendre position et comparer le Canada avec les autres pays en utilisant les déterminants appropriés. Ils pourraient, par exemple, critiquer l'implication du Canada en le comparant avec les pays développés, ou encore considérer que le Canada fait bonne figure si on le compare avec les pays en développement. Dans le cas d'un débat, il est conseillé que les élèves préparent leurs arguments à l'avance.

9.5 APPLICATION : LE GENRE GRAMMATICAL AU CINÉMA

La séquence d'enseignement suivante a été conçue pour une classe d'adultes de niveau intermédiaire en français L2 (Lyster et Izquierdo, 2009). Elle pourrait toutefois être adaptée pour des groupes d'immersion en 8ᵉ année. Dans le cadre d'une unité thématique sur le cinéma, elle portait sur deux films québécois, *La grande séduction* (Pouliot, 2003) et *L'Odyssée d'Alice Tremblay* (Filiatrault, 2002). Les apprenants lisaient des résumés et des critiques provenant du Web et étaient amenés à produire les leurs. Un cahier d'exercices de 17 pages a été utilisé pour mettre en relief des terminaisons typiquement féminines ou masculines. Ce cahier est disponible sur ce site Web : http://people.mcgill.ca/files/roy.lyster/FFI-intervention.pdf. Notons que, vu la densité de la matière, la séquence a été échelonnée sur une période de deux semaines, pour un total d'environ trois heures.

Objectifs disciplinaires
> Familiariser les élèves aux formes du résumé et de la critique de cinéma
> Les amener à produire leurs propres synopsis et appréciations

Objectifs linguistiques
> Sensibiliser les élèves aux indices du genre sublexicaux
> Les conduire à se servir de ces indices de façon automatique

9.5.1 PERCEPTION : SYNOPSIS ET CRITIQUES DE FILMS

Pour commencer la séquence, les élèves lisent des synopsis et des critiques de *La grande séduction* et de *L'Odyssée d'Alice Tremblay*. En groupe-classe, ils discutent de la différence entre ces deux formes de texte. Les déterminants et les terminaisons des noms cibles sont mis en caractères gras afin d'attirer leur attention sur les indices du genre. Voici des extraits des textes présentés dans la séquence initiale.

Synopsis

Sainte-Marie-La-Mauderne est **un** petit vill**age** isolé sur une île où l'on vivait autrefois de **la** pê**che**, alors qu'aujourd'hui, c'est **le** chôm**age** qui s'impose. **Le** chag**rin** causé par **la** pauvre**té** se transforme du jour au lendemain en l'espoir d'**une vie** meilleure lorsqu'**une** entrep**rise** multinationale annonce l'implantation d'**une** us**ine** sur l'île, à **une** seule condi**tion** : **la** compag**nie** d'assurances de l'entreprise exige **la** prés**ence** d'**un** médec**in** sur l'île...

Critique

Un pays**age** à nous couper le souffle, et tout ça se passe au Québec ! [...] **Le** chôm**age** et **la** pauvre**té** se marient ici avec **la** volon**té** d'**une** communau**té** rurale de se faire **une vie** meilleure. C'est **un** beau mari**age** qui réussit à nous offrir **un** mess**age** important, à caractère à la fois social et affectif. 9/10

Synopsis

Alice Tremblay, mère monoparentale, travaille dans **une** indust**rie** pétro-chimique de l'est de Montréal. Elle mène **une vie** tranquille et rangée depuis que **son** mari l'a quittée. L'amour ne fait plus partie de **sa vie** quotidienne depuis bien longtemps ! Chaque soir, Alice lit une histoire à **sa fille** pour l'endormir, **un** mom**ent** magique qu'elles se réservent ensemble pour s'évader. Toutefois, un soir, **la** fic**tion** l'emporte sur **la** réali**té** et, en sortant de la chambre de sa fille, Alice franchit **un** pass**age** magique !

Critique

Le jeu des acteurs est merveilleux et **la** m**ise** en scène est sublime ! Les clins d'œil humoristiques glissés un peu partout dans **la** produc**tion** en font **une** coméd**ie** agréable pour les jeunes comme pour les moins jeunes. 10/10

9.5.2 CONSCIENTISATION : L'ANALYSE DE TERMINAISONS

Dans un premier temps, on distribue aux élèves une liste de 15 terminaisons cibles. Ils doivent regrouper les noms ayant ces terminaisons dans les textes qu'ils ont lus et indiquer leur genre. Dans un exercice subséquent, on demande aux élèves de trouver, le plus rapidement possible, dix noms ayant chacune des terminaisons suivantes : *-age*, *-eau* et *-tion/-sion*. Puis, les élèves identifient le genre de 60 noms qui ne figurent dans aucun des textes précédents.

Dans un second temps, les élèves travaillent les liens entre les terminaisons masculines et féminines des noms et des adjectifs (ex.: *cruel/cruelle* ➜ *le sel/la pelle*; *sain/saine* ➜ *le pain/la laine*). Ces correspondances sont mises en évidence dans un tableau ciblant certaines terminaisons. On leur fournit ensuite une liste de noms auxquels ils doivent ajouter un déterminant et un adjectif sous la forme appropriée.

9.5.3 PRATIQUE GUIDÉE: DESCRIPTIONS D'IMAGES

L'étape de la pratique guidée consiste en une tâche de description écrite où l'élève doit raconter ce qui se passe dans une illustration au choix parmi les suivantes (Lyster et Izquierdo, 2009: 495). Chaque illustration donne à voir différentes péripéties conçues pour piquer la curiosité des élèves. À partir de leur interprétation de l'image, ils rédigent un récit utilisant les mots cibles. Cette activité est à la fois une excellente pratique de résumé et une occasion propice à la rétroaction corrective.

La première illustration présente une scène de restaurant propice à l'utilisation de mots comme *une assiette, un plateau, une cerise, un gâteau, une sardine, la cuisine, une mouffette* et *le potage.*

Les élèves peuvent alors raconter que la propriétaire d'une mouffette se plaît tellement à manger la cerise de son gâteau qu'elle ne voit pas l'animal s'enfuir; surprise à la vue de la mouffette, la serveuse perd l'équilibre de son plateau et une assiette se casse en deux; pourtant, cet incident semble se dérouler à l'insu du cuisinier, qui se prépare à faire griller une sardine dans la cuisine.

L'autre illustration montre une scène de rue incitant l'utilisation de noms comme les suivants: *une bicyclette, une voiture, une poubelle, une échelle, un cadeau, la peinture, une boucherie, une poussette* et *un magasin.*

Les élèves pourraient raconter, par exemple, qu'un homme monté sur une échelle échappe de la peinture sur la tête d'une femme passant devant le magasin, tandis qu'un garçon sur une planche à roulettes avec un cadeau à la main risque de heurter le boucher qui sort à toute vitesse de la boucherie.

9.5.4 PRATIQUE AUTONOME : DEVENIR CRITIQUE DE CINÉMA

La pratique autonome revient au contexte disciplinaire de départ, le cinéma. Les élèves choisissent un film qu'ils ont vu dernièrement et en font un résumé et une critique positive ou négative. La critique doit prendre appui sur des éléments spécifiques au film, comme le scénario, la réalisation, le jeu des acteurs, etc. Cet exercice peut être réalisé sous une forme écrite, puis orale dans des présentations en petits groupes. Dans les deux contextes, les élèves sont encouragés à employer correctement les marqueurs de genre accompagnant les noms cibles (ex. : *une comédie*, *un scénario*, *le divertissement*, *le jeu*, etc.).

9.6 RÉFLEXIONS : C'EST VOTRE TOUR !

Pour créer une séquence d'enseignement intégrée, il est souvent nécessaire d'adapter des activités ayant déjà des objectifs disciplinaires, mais non linguistiques. C'est alors à l'enseignant ou l'enseignante d'y intégrer une focalisation sur la langue. Dans cette section, il vous est donc proposé de transformer une séquence sur l'environnement de manière à y traiter le genre grammatical.

Intitulée « L'environnement : problèmes et solutions », la séquence a initialement été mise en œuvre auprès d'apprenants du français L2 au secondaire (Cumming et Lyster, 2016). Les objectifs disciplinaires étaient les suivants.

Objectifs disciplinaires

> Conscientiser les élèves aux problèmes environnementaux
> Les outiller pour proposer des solutions à ces problèmes

Vous devrez y ajouter les objectifs linguistiques ci-dessous.

Objectifs linguistiques

> Sensibiliser les élèves aux indices du genre sublexicaux
> Les conduire à se servir de ces indices de façon automatique

---

1. À l'aide de l'annexe E et de la section 9.2.2 de ce chapitre, déterminez les terminaisons et les noms que vous ciblerez.
2. En vous servant du gabarit à l'annexe C et des activités disciplinaires proposées (ou d'autre matériel à votre disposition), définissez les grandes lignes de votre séquence d'enseignement.

L'ENVIRONNEMENT : PROBLÈMES ET SOLUTIONS

1. Le vocabulaire requis pour aborder les problèmes environnementaux et leurs solutions est présenté aux élèves. En groupe-classe, ils mettent en commun leurs connaissances et classifient le vocabulaire selon les quatre éléments. Ce vocabulaire sera réinvesti tout au long de la séquence.

L'eau
- *les marées noires*
- *la pollution de l'eau*
- *la surconsommation*
- *la surpêche*
- *les pluies acides*
- *les inondations*
- *l'énergie hydroélectrique*

L'air
- *la pollution de l'air*
- *le réchauffement climatique*
- *l'énergie éolienne*
- *la réduction de la couche d'ozone*

La terre
- *la déforestation*
- *la désertification*
- *les déchets*
- *les produits chimiques*
- *les énergies fossiles :*
  le pétrole, le gaz naturel et le charbon

Le feu
- *les feux de forêt*
- *l'énergie géothermique*
- *l'énergie nucléaire*
- *l'énergie solaire*

2. Pour mieux comprendre la consommation d'énergie mondiale, les élèves comparent les données présentées dans la figure suivante (source : Nicolazzi, 2009).

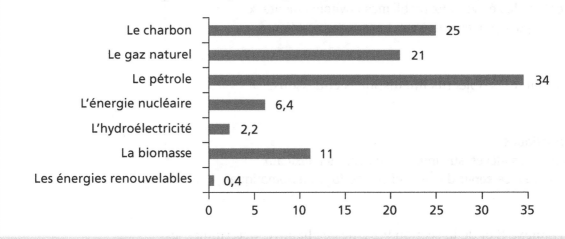

3. Les élèves se mettent ensuite en équipes d'experts pour faire des recherches sur une question environne-mentale de leur choix. Ils ont accès à un éventail de livres ressources en français (ex. : de Panafieu, 2009 ; Lamoureux, 2010 ; Legault, 2006 ; Nicolazzi, 2009 ; Sagnier, 2009) et à de nombreux sites Internet à caractère éducatif (ex. : http://monclimatetmoi.ca). Le fruit de leurs recherches sera partagé avec leurs pairs sous la forme d'une affiche multimédia interactive (voir http://glogsteredu.edu.glogster.com).

4. Enfin, les équipes créent un message d'intérêt public qui a pour but de sensibiliser les gens aux problèmes environnementaux et de les convaincre de s'engager à faire partie des solutions.

CHAPITRE 10

Les pronoms sujets et objets de la 3e personne

OBJECTIFS

- Comprendre les difficultés causées par certains pronoms en immersion, notamment les pronoms objets de la 3e personne

- Développer des outils pour traiter ces difficultés dans un contexte signifiant

10.1 PROBLÉMATIQUE

Les pronoms personnels constituent un élément essentiel de la langue française. Ils permettent de reprendre une information sans la répéter, mais aussi de désigner des référents avec précision. Leurs formes sont toutefois plus variées en français qu'en anglais, ce qui en rend l'usage difficile pour les élèves en immersion. C'est que, comme on peut le voir dans le tableau suivant, la forme des pronoms dépend de nombreux facteurs.

TABLEAU 10.1 — Formes et fonctions des pronoms personnels

		Fonctions	
	Personnes	**Sujets**	**Objets**
Singulier	1re	je	me, moi
	2e	tu	te, toi
	3e	il	le, lui
		elle	la, elle, lui
		on	se, soi
Pluriel	1re	nous	nous
	2e	vous	vous
	3e	ils	les, eux, leur
		elles	les, elles, leur

On constate ainsi que les pronoms en français peuvent varier selon la personne, le nombre, le genre, la fonction et le statut des interlocuteurs.

- La 1re et la 2e personne permettent d'identifier, respectivement, le ou les **émetteur**(s) et le ou les **récepteur**(s), tandis que la 3e fait référence à une personne hors de l'échange.
- La plupart des pronoms personnels établissent le nombre (ex. : *je* vs *nous* ; *tu* vs *vous* ; *il* vs *ils*).
- Certains pronoms de la 3e personne permettent d'identifier le genre (ex. : *il* vs *elle* ; *le* vs *la*).
- La fonction de sujet, d'objet direct ou d'objet indirect détermine la forme des pronoms.
- Le tutoiement et le vouvoiement permettent de marquer le statut du destinataire.

En immersion, les élèves apprennent rapidement les pronoms sujets de base, en particulier les trois personnes du singulier : *je*, *tu* et *il* (Harley, 1980). Les deux formes de la 1re personne (*je*, *nous*) semblent également être maîtrisées facilement grâce à l'absence de distinction entre les sexes. Toutefois, les pronoms de la 2e personne causent certains problèmes, car, contrairement à l'anglais, ils ont plus d'une forme possible. Ces pronoms seront abordés plus en détail au chapitre 11. Quant aux pronoms de la 3e personne, ce sont eux qui engendrent les plus grandes difficultés, car ils comportent des différences majeures avec l'anglais.

Ce chapitre est spécifiquement consacré aux problèmes causés par les pronoms de la 3e personne, qu'ils soient sujets ou objets. Une attention particulière est accordée aux pronoms objets, dont l'usage nécessite une analyse plus complexe, et aux moyens de les intégrer en immersion.

10.1.1 LES PRONOMS SUJETS

Au singulier, les pronoms sujets *il* et *elle* sont habituellement considérés comme équivalents aux pronoms *he* et *she*, puisque, dans les deux langues, ils sont associés à une personne de genre masculin ou féminin. Cependant, les pronoms *il* et *elle* peuvent aussi désigner des objets inanimés : *Elle est grande, la maison* ; *Ton livre ? Il est sur la table*. Ce n'est pas le cas en anglais, où les objets inanimés sont neutres et identifiés, au singulier, par le pronom *it*. Une autre différence entre les deux langues est que le pronom sujet *il* peut être impersonnel en français. Il est alors neutre et équivaut au pronom *it* dans des expressions telles que *Il pleut*, *Il neige* et *Il est deux heures*. L'ensemble de ces distinctions interlinguistiques explique, selon Harley (2007), les difficultés que posent ces pronoms pour des apprenants anglophones.

IMMERSION EN ACTION

Influencés par l'anglais, les élèves en immersion tendent à chercher une forme neutre semblable à *it* pour désigner des référents inanimés. Ils emploient donc *ce* ou *ça* plutôt que *il* ou *elle*, ce qui donne lieu à des énoncés fautifs ou imprécis.

Suivant l'exemple de l'anglais, les élèves en immersion tendent à limiter l'emploi de *il* et *elle* à des personnes, tout en cherchant une forme neutre équivalant à *it*. Ils adoptent alors les pronoms démonstratifs *ce* et *ça* afin de jouer ce rôle, ce qui entraîne des formes fautives telles que *Ça pleut*. Pour les mêmes raisons, ils diront *C'est beau*, moins précis que *Elle est belle*, pour faire référence à une maison. Cette stratégie leur évite, par la même occasion, d'indiquer le genre du nom en question. C'est ce que l'on constate dans la conversation suivante, où une élève de 5e année en immersion décrit son costume d'Halloween (Harley, 1980 : 16).

Intervieweuse :	*Et qu'est-ce que tu portais ?*
Élève :	*Un, une robe blanc avec, <u>c</u>'était longue…*
Intervieweuse :	*Oui.*
Élève :	*Et <u>c</u>'était très, hum, comment tu dis* old fashioned *?*
Intervieweuse :	*Ah! Ancien.*
Élève :	*Oui, <u>c</u>'était très ancien.*

L'accord des adjectifs et des déterminants se rapportant à *robe* oscille entre le féminin et le masculin, ce qui laisse croire que l'élève n'en connaît pas le genre. Elle contourne cette difficulté en recourant au pronom *ce* pour désigner sa robe, alors que le pronom *elle* serait nettement plus adéquat. Voyons maintenant comment une élève francophone de 2e année emploie le pronom *elle* pour faire référence à sa dent :

| Intervieweur : | *Qu'est-ce que tu fais avec ça, un miroir ?* |
| Élève : | *Je regarde ma dent quand <u>elle</u> est perdue pis l'autre qui branle, t'sais. <u>Elle</u> va être à la veille de tomber, <u>elle</u> aussi.* |

Cet exemple illustre que même de jeunes locuteurs emploient spontanément le pronom *il* ou *elle* pour désigner des référents inanimés. Il s'agit donc là d'une norme importante en français. À l'inverse, les pronoms *ce* et *ça* renvoient plus souvent à des entités non nommées ou encore à des groupes de mots :

- *Que penses-tu de <u>ça</u> ?*
- *J'aime <u>jouer aux échecs</u>. <u>C</u>'est toujours un défi.*

Cette distinction mérite d'être abordée tôt dans l'apprentissage du français L2, afin d'éviter la surutilisation de *ce* et *ça*. Les élèves en immersion devraient être encouragés à utiliser systématiquement les pronoms *il* et *elle* pour désigner des référents inanimés.

Au pluriel, les pronoms sujets de la 3e personne posent d'autres difficultés. Contrairement à leur équivalent anglais *they*, qui est normalement pluriel, *ils* et *elles* ne se démarquent pas toujours du *il* ou du *elle* singulier à l'oral. C'est seulement devant un verbe commençant par une voyelle que les pluriels [ilz] et [ɛlz] sont phonologiquement distincts. De plus, le *ils* pluriel est plus neutre que le pronom *elles*, qui ne désigne que des noms féminins. Ainsi, à l'oral, le pronom dans la phrase [il ʒu] *au baseball* peut référer à un seul individu masculin, à un groupe d'hommes ou à un groupe mixte d'hommes et de femmes. Cette ambiguïté entraîne les élèves en immersion à privilégier l'emploi de formes masculines, même dans des contextes impliquant uniquement des référents féminins.

L'exemple de la phrase [il ʒu] *au baseball* illustre une autre difficulté : à l'oral, rien ne distingue le singulier et le pluriel des verbes en *-er* à la 3e personne. *Il joue* et *ils jouent* ont la même sonorité, tout comme *elle danse* et *elles dansent*. Le pluriel de la 3e personne n'est souvent perceptible que dans les verbes du 2e et du 3e groupe. C'est le cas de *finit / finissent*, *peut / peuvent*, *est / sont*, etc. Toutefois, comme la majorité des verbes français appartiennent au 1er groupe (*-er*), les élèves en immersion auront tendance à généraliser la forme du verbe au singulier. Cela entraîne des énoncés fautifs tels que ceux-ci (Harley, 1986 : 108) :

- *Tous les monsieurs qui <u>fait</u> comme ça <u>va</u> être comme ça* (1re année, immersion précoce).
- *Les docteurs probablement <u>prend</u> lui* (9e année, immersion tardive).

Les élèves évitent ainsi d'accorder le verbe au pluriel avec un sujet à la 3e personne. Il s'agit pourtant d'un élément essentiel à la transmission du message.

10.1.2 LES PRONOMS OBJETS

Les pronoms objets en français sont une source de difficulté pour de nombreux élèves en immersion, en particulier les pronoms à la 3e personne. Ceux-ci sont plus complexes que leurs équivalents en anglais pour au moins deux raisons importantes. Le tableau suivant en donne un aperçu.

IMMERSION EN ACTION

À l'oral, la forme plurielle des pronoms *il* et *elle* n'est pas toujours audible. Par conséquent, les élèves en immersion tendent à surutiliser les verbes au singulier, même lorsque le pluriel est requis. De plus, le *elles* tend à être éliminé, car il est moins neutre que le *ils*.

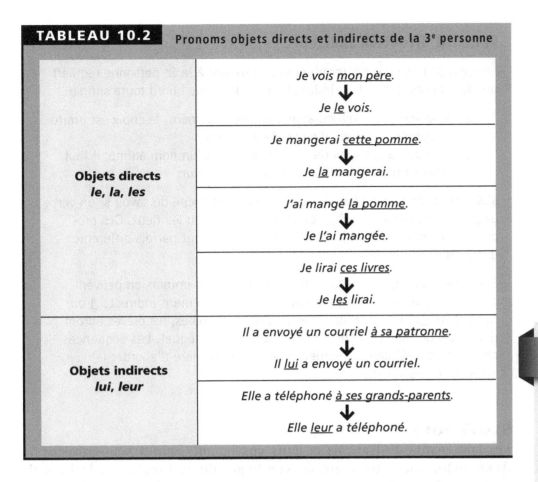

TABLEAU 10.2 Pronoms objets directs et indirects de la 3ᵉ personne

Objets directs *le, la, les*	*Je vois <u>mon père</u>.* ⬇ *Je <u>le</u> vois.*
	Je mangerai <u>cette pomme</u>. ⬇ *Je <u>la</u> mangerai.*
	J'ai mangé <u>la pomme</u>. ⬇ *Je <u>l'</u>ai mangée.*
	Je lirai <u>ces livres</u>. ⬇ *Je <u>les</u> lirai.*
Objets indirects *lui, leur*	*Il a envoyé un courriel <u>à sa patronne</u>.* ⬇ *Il <u>lui</u> a envoyé un courriel.*
	Elle a téléphoné <u>à ses grands-parents</u>. ⬇ *Elle <u>leur</u> a téléphoné.*

Premièrement, l'accord des pronoms objets *le* et *la* peut poser problème lorsqu'ils désignent des référents inanimés, car le genre grammatical du référent n'est pas toujours connu. De plus, ces pronoms s'élident devant une voyelle, ce qui requiert une analyse et une manipulation supplémentaires.

Deuxièmement, des formes différentes sont utilisées pour distinguer les pronoms objets directs (*le*, *la* et *les*) des pronoms objets indirects (*lui* et *leur*). Par contre, en anglais, les pronoms *him*, *her* et *them* sont invariablement utilisés en tant que pronoms objets directs et indirects.

- *I saw <u>them</u> at the movies.* ➔ *Je <u>les</u> ai vus au cinéma.*
- *I lent <u>them</u> some DVDs.* ➔ *Je <u>leur</u> ai prêté quelques DVD.*

Troisièmement, le pronom singulier indirect *lui* n'indique pas le genre, contrairement aux formes singulières sujets (*il* vs *elle*), objets directs (*le* vs *la*) ou **toniques** (*lui* vs *elle*). Cette exception cause une confusion majeure pour les élèves en immersion, qui associent *lui* presque exclusivement à *him*. C'est que le pronom *lui* peut aussi renvoyer à un référent masculin lorsqu'il est employé sous une forme tonique : *Lui, il arrive souvent en retard.* Les élèves en immersion ont donc tendance à utiliser *lui* pour désigner un référent masculin, qu'il soit objet direct ou indirect.

IMMERSION EN ACTION

En français, les pronoms objets causent des difficultés majeures pour les apprenants anglophones :

- l'attribution du genre des pronoms *le* et *la* lorsqu'ils désignent des référents inanimés ;
- la distinction entre les pronoms objets directs et indirects ;
- la confusion entre le pronom tonique masculin *lui* et sa forme indirecte neutre.

GLOSSAIRE

Les pronoms **toniques** ne sont pas directement reliés au verbe. On les emploie :

- après une préposition (*je vais au cinéma <u>avec lui</u>*) ;
- après c'est (*<u>c'est elle</u> qui apporte les cadeaux*) ;
- pour mettre le sujet en relief (*<u>moi</u>, j'aime le chocolat*).

IMMERSION EN ACTION

En français, les pronoms objets se placent normalement avant le verbe, modifiant ainsi l'ordre habituel des mots (sujet-verbe-objet).

SVO ou SOV ?

Les apprenants du français et leurs enseignants seront peut-être surpris d'apprendre que, d'un point de vue linguistique, l'anglais et le français partagent des similarités importantes. L'une d'entre elles est l'ordre fondamental des mots : sujet-verbe-objet (SVO).

- *Victor (S) watches (V) television (O).*
- *Victor (S) regarde (V) la télévision (O).*

Toutefois, dans le cas des pronoms objets, cet ordre change en français de SVO à SOV :

- *Victor (S) la (O) regarde (V).*

De nombreux élèves en immersion éprouvent de la difficulté à utiliser les pronoms objets devant le verbe. Voici quelques exemples d'erreurs faites à l'oral par des élèves terminant leur 1ʳᵉ année (Dumas, Selinker et Swain, 1973 : 78).

- *Le chien a mangé les.*
- *Il veut les encore.*

Ce type d'erreur peut être expliqué par l'influence de l'anglais, mais aussi par le français lui-même. En effet, l'ordre SVO est nécessaire en français dans les phrases déclaratives dont l'objet est un groupe nominal. Soulignons également que les formes impératives, auxquelles les élèves sont exposés dès le début, sont toujours suivies du pronom objet : *écoute-moi*, *regarde-la*, *écris-le*.

Il est possible que l'utilisation de pronoms objets après le verbe soit développementale et diminue avec le temps. Dans une tâche où des élèves de 8ᵉ année devaient formuler des demandes, des offres et des plaintes à l'oral, cette erreur est apparue dans seulement 5 % des énoncés (Lyster, 1993). La grande majorité des élèves étaient en mesure d'utiliser les pronoms objets de la 1ʳᵉ et de la 2ᵉ personne avant le verbe (ex.: *Est-ce que je peux t'aider ? Est-ce que tu peux m'indiquer le chemin ?*). Cependant, ils avaient moins de facilité à employer adéquatement un pronom objet à la 3ᵉ personne (*lui* vs *le/la*).

La section suivante propose des éléments de réflexion concrets sur les pronoms objets de la 3ᵉ personne. En prenant appui sur des tendances observées en immersion, elle vous amènera à trouver vos propres solutions.

10.2 RÉFLEXIONS

10.2.1 LES CONSTRUCTIONS VERBALES

Dans une étude conduite auprès d'une classe de 6ᵉ année en immersion, on a demandé aux élèves d'évaluer les phrases suivantes et de déterminer si l'une était meilleure que l'autre (White, 1991).

1. a) Les élèves apportent le professeur leurs livres.
   b) Les élèves apportent leurs livres au professeur.

2. a) Pour sa fête, ma mère a donné mon frère une bicyclette.
   b) Pour sa fête, ma mère a donné une bicyclette à mon frère.

3. a) Diane a envoyé sa sœur une lettre.
   b) Diane a envoyé une lettre à sa sœur.

4. a) Diane a envoyé sa sœur une carte postale.
   b) Diane a envoyé une carte postale à sa sœur.

Seulement 46 % des élèves ont identifié b) comme la seule phrase correcte ; 43 % ont considéré les deux phrases comme bonnes, et 11 % ont dit que a) était meilleure que b).

Même si l'ordre des compléments d'objet direct et indirect peut être inversé en français (*Elle a envoyé une lettre à sa sœur/Elle a envoyé à sa sœur une lettre*) et en anglais (*She sent a letter to her sister/She sent her sister a letter*), c'est seulement en anglais qu'on supprime la préposition dans la seconde construction. La préposition étant obligatoire en français, elle signale immanquablement qu'il s'agit d'un complément d'objet indirect. Il est important de mettre ces prépositions en évidence pour mieux sensibiliser les élèves à l'emploi des pronoms objets indirects. Plus loin dans ce chapitre, on verra comment il est possible de créer des contextes qui encouragent l'utilisation de ces pronoms.

10.2.2 LA PRODUCTION DES PRONOMS OBJETS EN IMMERSION

On a effectué une étude comparant les pronoms personnels utilisés par des élèves de 8e année en immersion avec ceux utilisés par des locuteurs natifs du même âge (Lyster, 1996). La tâche proposée (adaptée de Harley et coll., 1990) était d'écrire deux lettres différentes :

a) l'une à un propriétaire dans le but de le convaincre d'abolir son interdiction des chiens ;
b) l'autre au propriétaire d'une maison de campagne, dans le but de lui demander la permission d'utiliser une bicyclette trouvée sur les lieux.

Dans les deux tâches, les élèves en immersion ont répété le nom *bicyclette* ou *chien* environ deux fois plus souvent que les locuteurs natifs, qui ont généralement utilisé des pronoms. Voici une lettre qui illustre bien cette tendance à éviter les pronoms chez les élèves en immersion.

> *Cher Monsieur,*
>
> *Il y a quelque jours que j'ai vu une belle **bicyclette** dans la fenêtre du garage. J'apprecierais vraiment si vous me laisserez utiliser la **bicyclette**. Je te promais que si quelque chose arrive à la **bicyclette** je payerais pour tous les damages, mais je sais que je prendrais soin de ton **bicyclette**.*
>
> *Sincèrement,*
>
> *Julie*

Cet exemple montre que l'omission des pronoms peut donner un résultat plutôt répétitif. Pourtant, lorsqu'ils ont utilisé les pronoms objets *la* ou *l'* pour désigner la bicyclette, les élèves n'ont pas fait d'erreur. C'est seulement pour renvoyer au chien qu'ils se sont trompés, choisissant le pronom *lui* au lieu de *le* comme objet direct : *On lui avait depuis 8 ans et on lui aime vraiment trop pour ne pas lui garder.*

Comment expliquez-vous le fait que *lui* a été utilisé comme pronom objet direct pour désigner le chien, mais jamais la bicyclette ? Formulez votre réponse en fonction des facteurs suivants :

- le genre ;
- la fonction ;
- le caractère animé ou inanimé du référent.

10.2.3 LES DOUBLES PRONOMS

Les doubles pronoms à la 3e personne sont un problème qui touche de nombreux apprenants du français L2, et même certains locuteurs natifs. Les doubles pronoms objets sont généralement plus faciles à manier quand l'un renvoie à la 1re ou la 2e personne et que l'autre est à la 3e personne :

a) *Il me l'a déjà dit.*
b) *Je te l'ai donné.*

Toutefois, quand les deux pronoms objets sont à la 3e personne, tel que dans l'exemple c), les locuteurs natifs ont tendance à éviter ces constructions complexes et peut-être moins utiles (de Salins, 1996).

c) *Je le lui ai donné.*

Cette tendance courante dans le français oral peut s'expliquer ainsi.

- Dans une conversation en face à face, tenir compte de multiples référents à la 3e personne nécessite un traitement plus profond que pour des référents à la 1re ou la 2e personne.
- L'ordre des mots diffère de la structure plus fréquente et plus connue qui se trouve dans les exemples a) et b), de sorte que l'objet direct précède l'objet indirect au lieu de le suivre.

La bonne nouvelle, c'est qu'il n'est peut-être pas nécessaire de se concentrer sur cette structure difficile et relativement peu fréquente en immersion. Comme les francophones natifs tendent eux-mêmes à réduire l'emploi des doubles pronoms à la 3e personne, les locuteurs du français L2 pourraient tout à fait s'en passer à l'oral.

10.2.4 L'ÉTAYAGE À L'ORAL

Ce qui précède peut sembler suggérer que les constructions verbales et l'emploi des pronoms objets nécessitent beaucoup d'enseignement explicite. Toutefois, les interactions en classe offrent de multiples occasions de souligner ces traits de manière signifiante. Par exemple, il y a au moins deux groupes de verbes sémantiquement liés qui s'appliquent facilement à la gestion de classe. L'un de ces groupes renvoie de manière générale à l'idée de donner, et l'autre, à l'idée de dire ou de raconter.

IMMERSION EN ACTION

Plusieurs verbes courants dans le discours de classe sont transitifs directs et indirects. Cela offre des occasions de travailler les pronoms objets de manière à la fois signifiante et régulière.

TABLEAU 10.3	Verbes transitifs liés à la gestion de classe
DONNER	**DIRE**
apporter	annoncer
distribuer	conseiller
offrir	demander
prêter	expliquer
rapporter	proposer
remettre	raconter
rendre	suggérer

Ces verbes sont transitifs directs et indirects à la fois, ce qui permet de travailler les deux types de pronoms objets dans divers contextes. Voici quelques exemples de questions impliquant les verbes de la liste que vous pourrez incorporer de manière simple dans votre discours pédagogique de tous les jours.

- *Est-ce que je t'ai déjà rendu ton travail ?*
- *Kathleen, veux-tu prêter ton crayon à Yussef ?*
- *Voici les nouveaux cahiers. Qui veut bien m'aider à les distribuer au groupe ?*
- *Jana était absente hier. Qui pourra lui expliquer les devoirs ?*
- *N'oubliez pas que demain vous devez me remettre vos projets de science.*

Il est bien sûr tout à fait naturel que les élèves répondent en un seul mot (ex.: *Oui !* ou *Moi !*) aux questions fournies ci-dessus. Toutefois, même si cela peut sembler ardu, les élèves devraient être encouragés à répondre en phrases complètes, comme les suivantes, pour entraîner l'emploi de pronoms objets.

- *Oui, tu me l'as rendu.*
- *Oui, je vais lui prêter mon crayon.*
- *Moi, je peux vous aider à les distribuer.*
- *Moi, je pourrais lui expliquer les devoirs.*
- *On ne peut pas vous les remettre demain, parce que c'est congé !*

J'ai déjà observé des enseignants qui le faisaient de manière à la fois quotidienne et ludique. Ainsi, la tâche ardue a fait place au jeu !

Le genre des pronoms objets

Une façon de mettre en lumière le genre grammatical des pronoms objets est de recourir à la **dislocation** (soulignée dans les exemples) :

- *Ton devoir, je te le rendrai demain.*
- *Ta copie, je te la remettrai après l'école.*

Grâce à la présence du déterminant et du pronom dans le même énoncé, le genre grammatical est mis en évidence. On souligne aussi la position préverbale du pronom, ce qui fait d'une pierre deux coups.

L'idéal est bien sûr que vous développiez vos propres outils pour mettre en relief les caractéristiques des pronoms objets. Chose certaine, les occasions de le faire ne manquent pas en immersion, car les élèves sont constamment amenés à employer des verbes transitifs. La section suivante suggère une séquence spécifiquement axée sur les pronoms objets de la 3e personne. Soulignons toutefois que l'assimilation de ce trait linguistique nécessite de nombreuses activités étalées sur une longue période. Vous êtes donc invité à rechercher d'autres textes où ces pronoms sont nombreux, ou, mieux encore, à écrire les vôtres.

10.3 APPLICATION : LES PRONOMS OBJETS

La séquence suivante est destinée à des élèves de 5ᵉ à 8ᵉ année. Elle a pour thématique l'immigration et touche au français, aux études sociales et à l'histoire. L'accueil d'une nouvelle élève qui a réussi à fuir la guerre civile en Syrie sert de contexte pour l'activité de perception. Les élèves se concentrent ensuite sur les difficultés liées aux pronoms objets de la 3ᵉ personne. À la fin de la séquence, l'arrivée de nouveaux immigrants dans l'Ouest canadien au début du 20ᵉ siècle referme la boucle thématique.

> **Objectifs disciplinaires**
> > Sensibiliser les élèves aux réalités des réfugiés dans leur pays d'accueil
> > Les familiariser aux enjeux de l'immigration dans les Prairies canadiennes
>
> **Objectifs linguistiques**
> > Amener les élèves à différencier les pronoms objets directs et indirects
> > Faire remarquer la place des pronoms objets et la neutralité de *lui* comme objet indirect

10.3.1 PERCEPTION : L'ACCUEIL D'UNE RÉFUGIÉE

La séquence commence par la lecture d'une lettre fictive écrite par l'enseignant ou l'enseignante. La lettre annonce l'arrivée en classe d'une nouvelle élève, Liliane, qui a fui la Syrie avec sa famille. La situation des réfugiés y est expliquée, suivie de différentes propositions visant à bien accueillir l'élève. Le texte contient de nombreux pronoms renvoyant à Liliane, qui sont mis en évidence. S'ensuit une discussion sur l'accueil des nouveaux arrivants au Canada, un thème qui sera réinvesti lors de la pratique autonome.

Chers élèves,

*Nous accueillerons bientôt une nouvelle élève dans la classe. **Elle** s'appelle Liliane. **Elle** et sa famille sont des réfugiés syriens récemment accueillis au Canada. Que pourriez-vous faire pour faciliter l'arrivée de Liliane ?*

Les réfugiés sont susceptibles de se sentir isolés dans leur pays d'accueil, où presque tout peut sembler étrange de prime abord. De plus, comme ils ont beaucoup souffert pendant la guerre civile en Syrie, il est important d'être très sensible à cet égard.

*Quant à Liliane, il est important de **la** compter parmi vos amis dès son arrivée. Il suffit de **lui** parler, de **la** consoler au besoin et de jouer avec **elle** sans **lui** demander trop de détails sur ce qui **lui** est arrivé durant la guerre civile dans son pays. C'est parce qu'une guerre civile entraîne habituellement des atrocités inimaginables et des traumatismes dont il est difficile de se remettre. Soyez donc sensibles mais pas indiscrets. Si **elle** vous en parle, écoutez-**la** attentivement et essayez de **la** réconforter.*

*Si **elle** a des difficultés de compréhension en français ou en anglais, offrez-**lui** de l'aide. Quant à ses études, ce sera à **elle** de déterminer dans quelles matières **elle** a le plus besoin d'aide. Encouragez-**la** à persévérer si **elle** a des difficultés. De plus, parlez-**lui** des différentes activités parascolaires auxquelles **elle** pourrait se joindre pour se faire de nouveaux amis à l'extérieur de la classe.*

*Félicitez notre nouvelle élève pour son courage et accueillez-**la** chaleureusement dans son nouveau pays et sa nouvelle école ! De mon côté, je vais l'accueillir à bras ouverts et **lui** offrir toute l'aide dont **elle** a besoin.*

10.3.2 CONSCIENTISATION : L'ANALYSE DE PRONOMS OBJETS

Ce texte se prête particulièrement bien à la réflexion sur les formes et fonctions des pronoms à la 3e personne. Dans un premier temps, on demande aux élèves d'identifier les pronoms de la 3e personne du singulier et de les classer selon leur forme (*elle*, *la* ou *lui*). Cette classification peut être effectuée avec un code de couleurs à même le texte, ou dans un tableau où les élèves recopient les segments de phrases appropriés. Dans un second temps, on les amène à identifier les liens entre la fonction et la forme des pronoms lors d'une discussion en groupe-classe.

D'abord, il faut leur faire remarquer l'utilisation de *lui* comme pronom objet et de *elle* comme pronom sujet pour désigner tous les deux une fille. Cela aide ainsi à invalider l'hypothèse fautive selon laquelle *lui* renvoie toujours à un référent masculin.

LUI	ELLE
*Offrez-**lui** de l'aide* *Parlez-**lui** des différentes activités parascolaires* *Je vais l'accueillir à bras ouverts et **lui** offrir*	*si **elle** a des difficultés de compréhension.* *auxquelles **elle** pourrait se joindre.* *toute l'aide dont **elle** a besoin.*

Ensuite, il faut faire ressortir la distinction entre les pronoms objets directs et indirects, ce qui permettra d'aborder les constructions verbales. Si les élèves ont déjà classé les pronoms du texte dans un tableau, ils pourront alors en analyser la différence de fonction plus facilement.

LA (objet direct)	LUI (objet indirect)
*essayez de **la** réconforter* *je vais **l'**accueillir à bras ouverts*	*il suffit de **lui** parler* *sans **lui** demander trop de détails*

Une bonne façon de souligner clairement cette distinction est de remplacer les pronoms par leur antécédent.

- *Essayez de **la** réconforter.* ➜ *Essayez de réconforter **Liliane**.*
- *Il suffit de **lui** parler.* ➜ *Il suffit de parler **à Liliane**.*

Enfin, on s'attarde à la place des pronoms objets, qui précèdent le verbe dans les phrases déclaratives, mais le suivent à l'impératif.

Types de phrases	LA (objet direct)	LUI (objet indirect)
Déclarative Impérative	*il suffit [...] de **la** consoler* *écoutez-**la** attentivement*	*il suffit de **lui** parler* *offrez-**lui** de l'aide*

Toutes les difficultés éprouvées par les élèves en immersion en ce qui a trait aux pronoms objets de la 3e personne sont donc mises en évidence dans ce seul texte.

10.3.3 PRATIQUE GUIDÉE : LES JEUX DE RÔLE

La pratique guidée consiste en une série de jeux de rôle où les élèves, en équipes de deux, doivent expliquer ce qu'ils diraient à un certain individu dans une situation donnée. Sur le plan thématique, deux de ces activités renvoient à des notions d'études sociales ou à la relation d'aide, faisant écho au reste de la séquence. Sur le plan linguistique, les jeux de rôle fournissent une excellente occasion d'utiliser les pronoms objets dans un contexte signifiant. Créés et mis à l'épreuve par Lucille Norman (1992) en 6e année, ils ont donné lieu à une amélioration significative chez les élèves. La rétroaction corrective est bien sûr essentielle à la réussite des activités.

Activité 1

Les élèves identifient des personnes célèbres dans différents domaines et en font une liste ensemble. Puis, on leur propose la situation suivante :

Si vous aviez la chance de rencontrer les personnes identifiées, que feriez-vous ?

Pour fournir leur réponse, ils peuvent utiliser les débuts de phrases suivants.

Si j'avais l'occasion de rencontrer X,
   a) *je lui demanderais...*
   b) *je lui proposerais...*
   c) *je lui dirais...*
   d) *je lui donnerais...*
   e) *je l'inviterais à...*

Activité 2

On demande aux élèves de décrire des situations qu'ils aimeraient changer dans le monde. On leur explique ensuite qu'ils ont la chance de rencontrer un ministre ou un dirigeant de pays pour faire valoir leurs idées et leurs demandes. Les élèves peuvent se servir des débuts de phrases de l'activité 1 pour formuler leurs réponses.

Activité 3

Après avoir lu les lettres suivantes, les élèves sont invités à donner des conseils tels que :

   a) *Dis-lui...*
   b) *Explique-lui que...*
   c) *Annonce-lui que...*
   d) *Propose-lui de...*

Lettre A

Je me sens seule. Mes parents sont partis en voyage et ma mère a décidé que je devais rester chez ma grand-mère. Elle est gentille, mais elle est plus âgée et on n'a pas les mêmes goûts. Pire encore, j'ai dû laisser mes amies pour me retrouver ici à Montréal.

Je n'en peux plus (12 ans)

Lettre B

Mon père refuse de me laisser partir en excursion de ski à Whistler sans qu'on soit accompagnés d'adultes. Je veux vraiment qu'il me donne la permission, mais il insiste sur le fait que je suis encore «petit».

Dans une impasse (13 ans)

10.3.4 PRATIQUE AUTONOME : L'IMMIGRATION DANS L'OUEST CANADIEN

Pour fermer la boucle, on revient au thème des nouveaux arrivants au Canada dans le cours d'études sociales ou d'histoire. Cette fois, on s'intéresse à la colonisation des Prairies par des immigrants européens et américains au tournant du 20e siècle. Les élèves découvrent la campagne d'immigration du ministre Clifford Sifton, puis les difficultés rencontrées par les Européens qui ont répondu à l'appel. Répartis en immigrants et en fonctionnaires, les élèves doivent expliquer ce qu'ils auraient dit à l'autre groupe en tenant compte des enjeux de l'époque. Ce contexte requiert l'utilisation de pronoms objets de la 3e personne et s'avère propice à la rétroaction corrective.

Les élèves lisent d'abord un premier texte sur le rôle de Clifford Sifton dans la colonisation massive de l'Ouest canadien.

Les politiques d'immigration de Clifford Sifton

C'est au tournant du 20e siècle que la colonisation des Prairies a connu un essor au Canada. Après une longue période de récession (1873-1896), la reprise économique a joué en faveur de l'immigration massive, qui devait se poursuivre jusqu'au début de la Première Guerre mondiale (1914). Les colons étaient pour la plupart des immigrants venus d'Europe, où sévissait une explosion démographique, et des États-Unis, où la quantité de bonnes terres diminuait rapidement.

Dès l'élection du gouvernement de Sir Wilfrid Laurier, en 1896, une vigoureuse campagne de colonisation de l'Ouest a été lancée. Le principal architecte de cette campagne était le ministre de l'Intérieur Sir Clifford Sifton (1861-1929). Il a adapté la Loi des terres fédérales afin d'inciter et de faciliter l'installation d'agriculteurs dans les Prairies. En payant des frais d'inscription de 10 $, les colons pouvaient obtenir un lot de 65 hectares (160 acres). En échange, ils s'engageaient à y construire leur résidence et à cultiver 16 hectares de terre durant les trois premières années.

Sifton avait un talent pour la promotion et a tout mis en œuvre pour faire connaître les attraits de l'Ouest canadien en Europe et aux États-Unis. De nombreuses brochures, publicités ou encore des comptoirs canadiens dans les lieux publics vantaient des terres fertiles et des récoltes abondantes. Les résultats ne se sont pas fait attendre : entre 1896 et 1914, des centaines de milliers de personnes ont immigré au Canada. La plupart des arrivants provenaient du Royaume-Uni et des États-Unis, mais aussi de plusieurs pays d'Europe de l'Est et de Scandinavie. L'accès rapide et facile à l'immigration attirait de nombreuses communautés opprimées dans leur pays d'origine, telles que les Juifs et les Ukrainiens.

Sources :
https://www.pier21.ca/research/immigration-history/settling-the-west-immigration-to-the-prairies-from-1867-to-1914
http://www.cic.gc.ca/francais/ressources/publications/patrimoine/chap-2.asp

Après la lecture de ce texte, les élèves sont divisés en deux catégories : les aspirants immigrants et les fonctionnaires canadiens. Les fonctionnaires doivent imaginer ce qu'ils pourraient dire à un immigrant pour le convaincre de s'installer dans l'Ouest canadien. Pour ce faire, on leur fournit les modèles suivants :

- *Je lui expliquerais que...*
- *Je lui proposerais de...*
- *Je lui offrirais des bénéfices comme...*

Quant aux immigrants potentiels, ils doivent réfléchir aux questions qu'ils poseraient à un fonctionnaire afin de connaître ce dans quoi ils s'engagent. Ils formulent leurs questions indirectes à l'aide des modèles suivants :

- *Je lui demanderais si...*
- *Je lui demanderais de nous expliquer comment...*
- *Je lui demanderais de m'assurer que...*

En petites équipes de fonctionnaires ou d'immigrants, les élèves mettent leurs idées en commun, puis communiquent leurs conclusions oralement en groupe-classe.

Dans un second texte, les élèves découvrent les épreuves et les tribulations des colons européens qui ont relevé le défi d'immigrer dans les Prairies.

Les conditions de vie des pionniers européens

De nombreux Européens ont répondu à l'appel lancé par Sifton pour s'établir dans les Prairies canadiennes. Pour se rendre au Canada, ils traversaient l'Atlantique en bateau. Le voyage, souvent effectué dans des conditions pénibles, durait environ un mois. À leur arrivée au port, les immigrants montaient dans des trains en direction de l'ouest sur le chemin de fer transcanadien, récemment terminé. À Winnipeg, ils obtenaient leur lot et s'y rendaient ensuite par leurs propres moyens.

Plusieurs lots n'étaient pas accessibles par les routes. Les pionniers devaient faire le trajet en chariots tirés par des chevaux. Lorsque le sol n'était plus carrossable, ils terminaient leur voyage à pied, transportant leurs bagages, leurs outils et leur nourriture. Après avoir choisi leur terrain, les pionniers s'y construisaient une maison en terre et en rondins. Ils devaient enlever les troncs et les broussailles, abattre les arbres et préparer leur terre à la culture. Ils fabriquaient également leurs propres meubles et leurs outils.

Souvent, les hommes allaient travailler dans les camps de bûcherons, les mines de charbon ou les chantiers de chemins de fer pour acheter des outils agricoles ou de la nourriture. C'était alors aux femmes et aux enfants de s'occuper des semences, des récoltes et de l'élevage. Ces conditions de vie difficiles, jumelées à des hivers froids et venteux, étaient loin des promesses attrayantes faites par Sifton. En conséquence, certains fermiers ont décidé d'abandonner leurs terres pour aller travailler comme ouvriers dans les villes.

Source : https://www.collectionscanada.gc.ca/settlement/kids/021013-2171-f.html

Après l'étude du texte, les élèves échangent leurs rôles : ceux qui étaient fonctionnaires deviennent immigrants, et vice-versa. À la lumière des conditions de vie décrites dans le texte, les immigrants regroupés dans une assemblée de village fictive doivent imaginer ce qu'ils aimeraient dire aux fonctionnaires après s'être établis au Canada. Voici des débuts de phrases qu'ils pourraient utiliser :

- *On leur dirait que...*
- *On leur décrirait...*
- *On leur demanderait...*

À leur tour, les fonctionnaires en réunion doivent réfléchir aux explications, aux conseils ou aux dédommagements qu'ils donneraient aux colons. Ils sont encouragés à employer des formulations telles que celles-ci :

- *On leur expliquerait que...*
- *On leur conseillerait de...*
- *On leur proposerait...*

Chaque assemblée fait ensuite part de ses conclusions au reste de la classe. Même si l'objectif principal demeure la compréhension des réalités sociales de l'époque, il ne faut pas que les enseignants abandonnent les objectifs linguistiques. Par l'entremise de la rétroaction corrective, ils doivent veiller à ce que les élèves utilisent correctement les pronoms objets.

CHAPITRE 11

Les pronoms d'adresse

OBJECTIFS

- Comprendre les difficultés que pose l'emploi du *vous* en immersion et son importance dans la francophonie

- Réfléchir à différentes façons de souligner la distinction entre *tu* et *vous* dans le contexte de l'immersion

11.1 PROBLÉMATIQUE

La 2ᵉ personne en français compte deux pronoms sujets (*tu* et *vous*), alors que, en anglais, il n'y en a qu'un seul (*you*). Pour les apprenants anglophones, il peut être difficile d'assimiler cette différence. Influencés par l'anglais, ils présumeront facilement que *tu* et *vous* sont identiques en termes de sens et adopteront donc une forme au détriment de l'autre. Comme le pronom *tu* est associé à des formes verbales plus simples, c'est celui que de nombreux élèves en immersion utilisent presque exclusivement.

Outre le fait qu'elle n'a pas d'équivalent en anglais, la distinction entre *tu* et *vous* dépend de plusieurs facteurs, ce qui en rend l'usage complexe en L2. C'est que chaque pronom remplit des fonctions à la fois grammaticales et sociolinguistiques.

TABLEAU 11.1	Fonctions des pronoms sujets de la 2ᵉ personne	
Pronoms	**Tu**	**Vous**
Fonction grammaticale	• Exprime le singulier • Exprime une référence indéfinie (au singulier ou au pluriel)	• Exprime le pluriel
Fonction sociolinguistique	• Exprime la familiarité	• Exprime la formalité ou la politesse (au singulier)

Cette double fonction de chacun des pronoms engendre une difficulté supplémentaire pour les élèves en immersion. Pour employer correctement un pronom d'adresse, ils doivent prêter attention au nombre de destinataires, mais aussi, lorsqu'il n'y en a qu'un seul, au type de relation qu'ils ont avec cette personne.

Afin d'aider les élèves à surmonter ces difficultés, il faut que les enseignants aient une bonne compréhension de ce qui les cause. Ce chapitre explore des pistes concrètes pour encourager un usage précis de la 2ᵉ personne dans le contexte spécifique de l'immersion.

11.1.1 LE *VOUS* SINGULIER

Selon des observations faites en classe, les enseignants en immersion utilisent les pronoms *tu* et *vous* tout aussi souvent l'un que l'autre. Cependant, pour des raisons évidentes, ils n'emploient presque jamais le *vous* au singulier pour exprimer la politesse. Dans ce contexte, il n'est donc pas étonnant que les élèves n'assimilent pas la fonction sociale du vouvoiement.

Certains diront que cela est sans conséquence étant donné que les interactions sociales sont de plus en plus informelles, particulièrement chez les jeunes. Il arrive même d'entendre parler de la disparition possible du *vous*

IMMERSION EN ACTION

Pour choisir le pronom approprié de la 2ᵉ personne, deux analyses sont nécessaires. Il faut d'abord déterminer si le destinataire requiert le pluriel (*vous*) ou le singulier (*tu*). S'il n'y a qu'un seul destinataire, il faut établir si la relation est de nature familière (*tu*) ou non (*vous*).

IMMERSION EN ACTION

Le vouvoiement est généralement nécessaire lorsque l'on s'adresse à des adultes que l'on ne connaît pas, à des supérieurs ou à des personnes plus âgées. Il constitue alors une marque de politesse ou de formalité.

de politesse. Pour éclairer cette question, examinons d'abord ce qu'il en est chez les jeunes francophones.

Quand ils ne se connaissent pas, les jeunes francophones se tutoient sans passer d'abord par le vouvoiement. De plus, comme ils sont rarement en compagnie d'adultes inconnus, ils n'ont pas souvent l'occasion de vouvoyer quelqu'un. Cependant, à mesure qu'ils grandissent et que leur cercle social s'élargit, le vouvoiement devient de plus en plus utile, voire nécessaire. Comme le souligne Vincent (1993 : 7), « l'utilisation du *vous* s'installe progressivement chez les jeunes locuteurs, au fur et à mesure qu'ils établissent des relations non personnelles avec des individus ». Le vouvoiement est particulièrement de mise lorsqu'ils s'adressent à des adultes inconnus, à des personnes aînées ou en position d'autorité. Il marque alors la politesse dans une situation de « dissymétrie entre les interlocuteurs ».

L'environnement social des jeunes francophones les expose assez tôt à ce type de relation, de sorte qu'ils en maîtrisent les codes rapidement. Par exemple, dans une étude portant spécifiquement sur les adolescents francophones de Québec, j'ai constaté qu'ils utilisaient le vouvoiement presque sans exception dans des lettres formelles, de même qu'auprès d'adultes inconnus, pour leur offrir ou leur demander une information à l'oral (Lyster, 1996).

Les observations empiriques révèlent donc que le vouvoiement est bel et bien vivant chez les jeunes francophones. Même s'ils se tutoient entre eux, le *vous* singulier demeure essentiel lorsqu'ils s'adressent à des adultes inconnus, et ce, dans la plupart des contextes sociaux. Il est donc important que les apprenants du français L2 soient sensibilisés à cette convention. Dans le contexte plus large de la francophonie, la distinction entre le *tu* et le *vous* leur sera utile dans une variété de situations sociales, scolaires et professionnelles. Rappelons toutefois que, de nos jours, il est vrai que l'on passe plus rapidement au tutoiement qu'autrefois.

Didst thou know?

La distinction entre le *tu* et le *vous* existait autrefois en anglais. Jusqu'au 17e siècle, le pronom *thou* était employé en anglais de manière équivalente au *tu* français, alors que *you* avait la même fonction que *vous*. On retrouve cette distinction dans des textes classiques tels que les pièces de Shakespeare, encore étudiées aujourd'hui. Par ailleurs, elle est présente dans la plupart des langues indo-européennes.

11.1.2 LE VOUS PLURIEL

En plus des difficultés associées au *vous* singulier, les élèves en immersion ont du mal à assimiler la fonction grammaticale du *vous* pluriel. Ils persistent à utiliser le *tu* pour s'adresser à plus d'une personne, comme le montre l'exemple suivant (Lyster et Rebuffot, 2002) :

> *Excusez-moi, monsieur et madame,*
> *mais est-ce que tu peux être un peu plus silencieux ?*

Pourquoi les élèves en immersion ont-ils tendance à éviter le *vous* pluriel ? Après tout, la notion de nombre n'est pas si insurmontable pour les apprenants d'une L2. Par ailleurs, les enseignants en immersion utilisent le *vous* pluriel à la même fréquence que le *tu* singulier. Une analyse plus poussée du discours de classe permet toutefois d'avancer quelques hypothèses pour expliquer cette tendance.

En 1992, Mme Évelyne Billey-Lichon, consultante et enseignante en immersion française depuis 1965, a publié un article dans le quotidien montréalais *La Presse*. Elle y exprimait son inquiétude devant un phénomène fréquemment observé à l'élémentaire : de nombreux enseignants employaient le *tu* pour s'adresser à toute la classe. Cela donnait lieu à des énoncés tels que *Mes amis, tu avances* et *Mes amis, tu chantes*. Mme Billey-Lichon soutenait fermement que de telles formulations ne correspondaient pas à un français correct et qu'il était inapproprié d'exposer des apprenants de L2 à de tels modèles. Un exemple qu'elle avait noté était *Mes amis, je ne te comprends pas car tu parles tous ensemble !*

Mes amis, je ne te comprends pas car tu parles tous ensemble !

IMMERSION EN ACTION

Il est recommandé d'introduire les formes associées au *vous* et au *tu* dès le début de l'apprentissage en immersion. Les enseignants peuvent étayer la distinction entre le pluriel et le singulier à l'aide de gestes, de pronoms toniques (*toi*, *vous*) ou encore en désignant la classe (*tout le monde*) ou l'élève par son nom.

Il est possible que, pour les jeunes apprenants du français L2, les formes verbales associées au *tu* soient plus faciles à assimiler, car elles ressemblent à celles de la 1re et la 3e personne du singulier. C'est peut-être pourquoi certains enseignants privilégient le *tu*, remettant à plus tard l'introduction des formes plus complexes associées au *vous*. Il n'est cependant pas nécessaire de simplifier le langage au point où, à l'extérieur de la classe, il devient inapproprié. L'emploi exclusif du *tu* pour exprimer le singulier et le pluriel risque d'empêcher l'acquisition des pronoms de la 2e personne en français. Au contraire, l'assimilation des formes reliées au *tu* et au *vous* est facilitée quand on peut les comparer les unes avec les autres.

Même les enseignants ayant de très jeunes élèves ne devraient pas hésiter à faire ressortir ces contrastes, car les jeunes apprenants sont prédisposés à assimiler de nouvelles formes. Ils bénéficieront d'une alternance entre le *tu* et le *vous* dépendamment du contexte :

Mes amis, vous allez travailler en équipes de quatre.
Toi, tu es dans quelle équipe ?

Comme on le voit dans ces exemples, la compréhension et l'analyse de ces formes peut être facilitée grâce à des techniques d'étayage :

- Au pluriel, le *vous* peut être accompagné de gestes ou d'expressions telles que *toute la classe, tout le monde, vous tous, vous autres*, etc.
- Pour souligner la 2ᵉ personne du singulier, on peut pointer l'élève, le nommer ou utiliser un pronom tonique : *Toi, Logan, qu'est-ce que tu en penses ?*

La distinction entre l'adresse au singulier et au pluriel sera alors claire pour les élèves.

11.1.3 LE *TU* INDÉFINI

L'emploi du *tu* pour exprimer le pluriel peut aussi s'expliquer par son utilisation accrue comme pronom indéfini à l'oral. La référence indéfinie ne renvoie pas à une personne en particulier, mais à n'importe quel individu, ce qui peut lui donner une valeur collective. C'est ce qu'on peut observer dans cette question posée par une enseignante de 4ᵉ année en immersion :

Prof : *Quand vos parents conduisent sur la route, il y a des panneaux de signalisation, hein ? Quand il y a un feu vert, est-ce que tu peux passer ?*

Dans cet exemple, le *tu* ne désigne aucun destinataire en particulier, mais une personne non définie. Le fait qu'il suit une phrase où la 2ᵉ personne du pluriel est utilisée (*vos parents*) peut toutefois générer une ambiguïté. Pour des locuteurs de L2, le *tu* indéfini semble alors avoir une valeur plurielle.

Rappelons que, selon la grammaire traditionnelle, la référence indéfinie est normalement assumée par le pronom *on* :

Quand il y a un feu vert, est-ce qu'on peut passer ?

Toutefois, en raison de la tendance bien connue à utiliser le *on* à la place du *nous*, le *on* semble perdre son statut de pronom indéfini. Dans les ouvrages de grammaire récents, il est plutôt classifié comme pronom personnel (Grevisse, 2011). C'est ainsi que, dans la francophonie, un échange comme le suivant est tout à fait courant :

A : *Qu'est-ce que vous faites ?*
B : *On prépare nos vacances.*

Il est conseillé d'opter pour des formes à la 3e personne plutôt que pour le *tu* indéfini. Cela évite toute ambiguïté par rapport à la valeur singulière du pronom *tu*.

Comme le *on* est généralement utilisé en remplacement du *nous*, c'est le *tu* qui endosse la référence indéfinie, particulièrement dans le Canada français. Il n'est donc pas étonnant que le *tu* indéfini soit présent dans le discours de classe en immersion. Exposés à cette forme, les élèves ont une forte tendance à l'utiliser. C'est aussi parce que le pronom *you* remplit la même fonction en anglais (par opposition à l'utilisation très formelle du pronom *one*).

Dans la conversation suivante, on demande à des élèves de 4e année en immersion d'expliquer le sens du verbe *louer*. Un élève répond en se servant du pronom indéfini *tu* :

Élève :   ***Tu*** *prends le... si c'est un appartement,* ***tu*** *prends pour un petit peu comme, euh... pour une année et, après ça,* ***tu*** *trouves un autre maison.*

Prof :   *OK, c'est ça,* ***tu*** *peux habiter là seulement pour une période de temps.* ***Tu*** *peux habiter là trente ans si* ***tu*** *veux, mais normalement, les gens qui louent, ils habitent là pour quelque temps. Et à qui ils paient et qu'est-ce qu'ils paient ? Ils paient de l'argent à quelqu'un pour habiter là.*

En ayant recours au pronom *tu*, l'élève ne fait pas exclusivement référence à l'enseignante à qui il s'adresse, mais à des personnes en général. Pour sa part, l'enseignante réutilise la forme *tu* introduite par l'élève, mais passe rapidement à la 3e personne pour désigner *les gens* : *ils habitent là, ils paient*. Cela peut s'avérer une bonne stratégie pour éviter la surutilisation du *tu* indéfini.

Astuces pour réduire l'utilisation du *tu*

Puisque les élèves en immersion emploient le *tu* presque exclusivement à la 2e personne, les enseignants doivent veiller à fournir d'autres modèles. Voici quelques astuces pour ce faire.

1. **Utiliser le *vous* de manière constante pour marquer le pluriel**
   En principe, on devrait éliminer tout emploi du *tu* pour s'adresser au groupe.

2. **Limiter l'emploi du *tu* à la 2e personne du singulier, et non :**
   - en tant que suffixe interrogatif à l'oral (*Je peux-tu t'aider ?*);
   - en tant que pronom indéfini;
   - dans les marqueurs de discours comme *tu sais* ou *tsé*.

Selon Thibault (1991), ces utilisations du pronom *tu* contribuent à répandre l'impression que le *vous* serait en danger de disparition – une situation à proscrire dans votre salle de classe !

11.2 RÉFLEXIONS

11.2.1 D'ACCORD OU PAS D'ACCORD ?
Avec vos collègues, expliquez pourquoi vous approuvez ou non les déclarations suivantes et confrontez vos points de vue.

a) Il n'est pas nécessaire que les enseignants en immersion introduisent le *vous* de politesse avant que leurs élèves aient atteint l'adolescence.
b) Cela peut être contre-productif de remettre à plus tard l'enseignement du *vous* pluriel, car la surutilisation de *tu* devient automatique chez les élèves et peut donc se fossiliser.
c) Le pronom *vous* peut instaurer une distance sociale entre les locuteurs, et cela n'a que des effets négatifs en situation de communication.
d) Puisque le fait d'utiliser *tu* ou *vous* relève d'un choix personnel, on ne peut pas enseigner de règles régissant leur utilisation.

11.2.2 REMETTRE EN QUESTION LE *TU* COLLECTIF
Au fil des ans, Mme Billey-Lichon a demandé à plusieurs enseignants pourquoi ils privilégiaient le *tu* pour s'adresser à leur groupe. Voici quelques-unes des réponses reçues :

a) Si on dit *tu* au groupe, chaque enfant se sentira visé.
b) On utilise *tu* à la maternelle et au primaire parce que les enfants sont jeunes.
c) Dire *tu* au groupe est une question de choix personnel.
d) On dit *tu* au groupe parce que les jeunes enfants le font, alors on fait comme eux.

Discutez chaque argument et tentez dans chaque cas de le réfuter. Quels sont les inconvénients d'utiliser *tu* pour s'adresser au groupe ?

11.3 APPLICATION : LES PRONOMS D'ADRESSE

La séquence d'enseignement présentée ici à titre d'exemple se déroule dans le cours de français et n'a pas de contenu thématique précis. La décision de procéder ainsi découle du fait que le contexte scolaire n'offre pas beaucoup d'occasions authentiques d'utiliser le *tu* et le *vous* à des fins sociales. Pour combler cette lacune, la séquence propose des situations qui ne se produiraient pas normalement en immersion, que ce soit en français ou dans les autres matières.

Les activités ont été adaptées à partir de ma thèse de doctorat, qui examinait l'enseignement des pronoms personnels de la 2e personne en 8e année (Lyster, 1994). Il importe de souligner que ce type d'intervention pourrait facilement être réalisé avec des élèves plus jeunes. J'ai ciblé la 8e année à l'époque parce que c'était le niveau que je connaissais le mieux, mais aussi parce que la compétence sociolinguistique est en plein développement chez les jeunes adolescents. Ils sont particulièrement sensibles aux règles sociales régissant les termes d'adresse, et ce, qu'ils s'en servent ou non !

> **Objectifs linguistiques**
> > Analyser le degré de familiarité lié à différentes situations de communication
> > Faire connaître les fonctions grammaticales et sociolinguistiques des pronoms d'adresse
> > Amener les élèves à employer le *tu* et le *vous* de manière appropriée au contexte

11.3.1 PERCEPTION : LA LECTURE DE DIALOGUES

Une bonne façon de sensibiliser les élèves à l'utilisation des pronoms de la 2e personne est de leur présenter des dialogues tirés de romans ou de pièces de théâtre. Idéalement, ces extraits devraient provenir d'œuvres à l'étude en français dans lesquelles les élèves sont déjà investis.

Le dialogue suivant est tiré du roman *Le cave*, écrit par Paul Kropp (1981 : 115-116) et peut être lu à voix haute par des volontaires qui jouent chacun des personnages.

Le cave (extrait)

« Danny... » Le Major s'approcha, quand tous les autres furent sortis.

Sans lui laisser le temps de continuer, je plongeai : « J'm'excuse d'avoir dit une grossièreté. J'sais qu'<u>vous</u> devez être mécontent... Mais un des gars m'avait lancé une gomme à effacer derrière la tête, et ça m'a échappé – <u>vous</u> savez c'que c'est. Et j'travaillais réellement à mes maths. Enfin, d'une certaine façon... J'sais c'que <u>vous</u> pensez, mais c'était pas comme ça ! Voyez-<u>vous</u>, j'me disais qu'si j'pouvais trouver la bonne équation pour reproduire ses... heu... ses parties, alors j'pourrais concevoir des formules qui permettraient, <u>vous</u> voyez, d'géométriser une fille. Alors <u>vous</u> comprenez, je...

« Calme-<u>toi</u>, Danny. Ce qui me préoccupe, ce n'est pas tant <u>ton</u> langage ni ce que <u>tu</u> gribouilles, mais...

« Quoi, alors ?

« Non, il s'agit plutôt de <u>toi</u> en général. » Il s'assit sur le coin de mon pupitre, laissa errer son regard sur le paysage enneigé. « J'ai vu, au bureau, que <u>tu</u> avais été renvoyé deux fois de la classe. Cela ne <u>te</u> ressemble pas. Madame Edelstein prétend que <u>tu</u> es bizarre, depuis quelque temps. Même moi, je l'ai constaté, Danny – et pourtant tout le monde sait que je suis sénile.

« Oh non, m'sieur !

« Allons ! Qu'est-ce qui ne va pas ?

« Heu... C'est surtout à la maison.

« <u>Tes</u> parents ont eu de nouvelles discussions ?

« Plus qu'ça – mon père est parti. À dire vrai, y'ont pas tellement discuté, c'coup-ci : y'a seulement fait sa valise et y'a pris la porte ! On l'a pas revu depuis...

« En as-<u>tu</u> parlé à quelqu'un ?

« Personne sauf Myron Rabinowitz. Et aussi à Samantha.

« Tiens donc ! Et depuis combien de temps la fréquentes-<u>tu</u> ?

« Comment <u>vous</u> l'saviez ? »

Cet extrait a été reproduit aux termes d'une licence accordée par Copibec.

11.3.2 CONSCIENTISATION : LE TUTOIEMENT ET LE VOUVOIEMENT

Une discussion en groupe-classe s'ensuit sur le tutoiement et le vouvoiement dans le dialogue. Les élèves sont invités à analyser le rapport entre les locuteurs et à justifier l'emploi du *tu* par l'enseignant et du *vous* par Danny.

On leur présente ensuite les règles liées à l'utilisation du *tu* et du *vous*, schématisées dans le tableau suivant (adapté de Mougeon et Ducharme, 1985).

Lorsque l'élève s'adresse à...		il ou elle va dire...	
		a)	**b)**
1.	**Une personne que l'élève connaît bien**	**TU** <u>à un de ses amis ou des membres de sa famille</u> *Veux-tu passer chez nous ?*	**TU ou VOUS** <u>à une personne aînée</u> (ex.: son arrière-grand-mère) *Viendras-tu nous voir ?* *Viendrez-vous nous voir ?*
2.	**Une personne que l'élève ne connaît pas bien**	**TU** <u>à une personne jeune</u> *Est-ce que tu me prêterais ta raquette, s'il te plaît ?*	**TU ou VOUS** <u>à un adulte</u> *Est-ce que tu pourrais m'aider, s'il te plaît ?* *Est-ce que vous pourriez m'aider, s'il vous plaît ?*
3.	**Une personne que l'élève ne connaît pas, dans des circonstances non familières** Ex.: au téléphone, à un bureau de renseignements, dans certains lieux publics, etc.	**TU ou VOUS** <u>à une personne jeune</u> *Pourrais-tu me dire où sont les toilettes ?* *Pourriez-vous me dire où sont les toilettes ?*	**VOUS** <u>à un adulte</u> *Pourriez-vous me dire où se trouve la salle 322, s'il vous plaît ?*
4.	**Plus d'une personne**	**VOUS** <u>à des personnes connues</u> *Vous allez au match après l'école ?*	**VOUS** <u>à des inconnus</u> *Êtes-vous d'ici ?*

On fournit ensuite aux élèves divers énoncés comportant des pronoms d'adresse. Ils doivent identifier à quelle situation chaque énoncé correspond en fournissant le numéro et la lettre spécifiés dans le tableau. Les énoncés devraient représenter une variété de contextes de communication, à l'oral comme à l'écrit.

1. Salut, les gars. Vous venez à l'entraînement de hockey ce soir?
2. Bonjour, Madame. Comment allez-vous?
3. Par la présente, nous vous avisons qu'un document que vous avez emprunté à la bibliothèque est en retard de vingt jours.
4. Tu es invité à venir à ma fête d'anniversaire, le vendredi 15 novembre. N'oublie pas de confirmer ta présence à l'adresse suivante.
5. Pourriez-vous m'indiquer où se trouve la rue Principale?

11.3.3 PRATIQUE GUIDÉE : «POURRIEZ-VOUS M'INDIQUER LE CHEMIN?»

Pour que l'utilisation des formes verbales associées à *vous* devienne plus automatique, les élèves s'exercent d'abord à conjuguer au *vous* des verbes formés avec *tu*. Par exemple, un élève dit *tu finis*, et son ou sa partenaire doit répondre *vous finissez*. Les verbes peuvent être liés à l'idée d'indiquer un chemin (*prendre, aller, se diriger, tourner*, etc.), puisque c'est le but de l'activité suivante. Fait intéressant, les élèves participant à l'étude ont affirmé avoir beaucoup appris grâce à cette activité, malgré son accent traditionnel sur la conjugaison.

Ensuite, certains élèves se font attribuer le rôle d'adultes ou d'inconnus, qui doivent demander aux autres comment se rendre à un endroit précis à l'intérieur ou autour de l'école. Dans mon étude, un élève ayant le rôle de président du comité de parents a demandé à un camarade de classe : *Peux-tu m'indiquer où est le gymnase?* Hésitant entre les formes au *tu* et au *vous*, son camarade a répondu avec l'aide des autres élèves, qui lui donnaient des indices et des rires de soutien pour s'autocorriger.

Puis, les élèves jouent en paires à un jeu où ils doivent indiquer le chemin à leur partenaire à l'aide d'un plan de la ville de Québec. Chaque élève commence le jeu avec cinq jetons et doit utiliser le pronom d'adresse adéquat selon chaque situation fournie. Voici deux exemples de situation.

- *Tu es devant l'hôtel de ville à Québec et une dame que tu ne connais pas te demande comment aller au château Frontenac.*
- *Tu te promènes sur la terrasse Dufferin. Un jeune garçon de ton âge cherche l'avenue Dufferin. Tu lui indiques la bonne direction.*

Si l'élève utilise un pronom inapproprié et que son partenaire note son erreur, il doit lui remettre un jeton. Le jeu de rôle est alors étayé par la correction des pairs.

11.3.4 PRATIQUE AUTONOME : LA RÉDACTION DE LETTRES

Lors de la pratique autonome, les élèves rédigent des lettres à caractère officiel ou administratif, qui exigent évidemment l'emploi du *vous*. Ce type d'activité peut être lié à une variété de matières et de contextes. Parmi les options possibles, on compte une lettre d'opinion à une personnalité publique, une lettre de candidature pour un emploi, une plainte concernant un service ou un produit, etc. À titre d'exemple, dans une leçon de sciences en 4ᵉ année sur l'industrie manufacturière locale, les élèves ont écrit en français à un manufacturier québécois pour lui demander de l'information sur son produit et son processus de fabrication. Dans leurs lettres, on s'attendait bien sûr à ce qu'ils utilisent les formes associées au *vous*.

CHAPITRE 12

L'étayage de la bilittératie

OBJECTIFS

- Prendre conscience des bienfaits liés à l'étayage collaboratif de la bilittératie

- Trouver des moyens de renforcer les connexions entre le français et l'anglais

- Constater les avantages d'introduire la dérivation lexicale en immersion

12.1 PROBLÉMATIQUE

Ce livre a jusqu'ici encouragé une intégration plus systématique de la langue dans les autres matières enseignées en immersion. Dans ce dernier chapitre, une approche complémentaire est proposée : celle des liens entre les cours de français et d'anglais. L'approche pédagogique intégrant la **bilittératie** permet de renforcer les compétences dans les deux langues à la fois au lieu d'une seule. Grâce aux connexions établies, elle active les ressources cognitives de l'anglais pour soutenir l'apprentissage du français (Cook, 2001 ; Swain et Lapkin, 2013). C'est Cummins (2007) qui a ouvert la voie au développement de la bilittératie, en faisant la promotion de connexions étroites et bidirectionnelles entre la L1 et la L2. Il soutenait que l'apprentissage pouvait devenir plus efficace si les enseignants abordaient explicitement les similarités et les différences entre les deux langues. En mettant en place des stratégies d'apprentissage coordonnées, on donnerait aux élèves de meilleurs outils pour progresser en français comme en anglais.

L'enseignement étayant la bilittératie est fondé sur ce que Cummins (2000) identifie comme une *compétence sous-jacente commune* aux deux langues. Cette compétence implique les processus cognitifs servant à décoder le langage, à résoudre des problèmes, etc. Ce sont des stratégies et des savoirs acquis dans une langue et qui peuvent être réinvestis dans l'autre. Toutefois, chaque langue possède une *structure de surface* qui n'est pas directement transférable à une autre. Cette structure comprend des formes ou des traits linguistiques spécifiques comme le genre grammatical, les prépositions, les temps verbaux, etc. La figure suivante (adaptée de Cummins, 2000) illustre la relation entre la structure de surface et la compétence commune dans la bilittératie.

FIGURE 12.1 Relation entre les langues dans la bilittératie

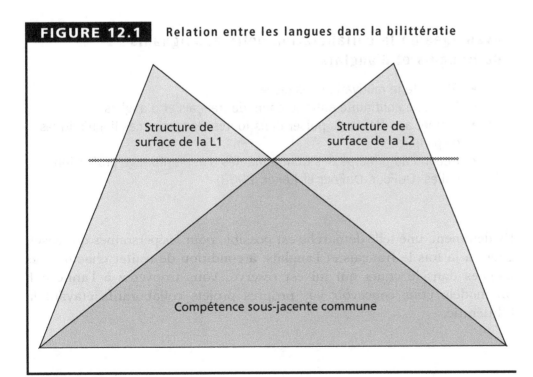

Structure de surface de la L1

Structure de surface de la L2

Compétence sous-jacente commune

La compétence sous-jacente commune est donc ce qui soutient l'apprentissage des deux langues ; c'est pourquoi elle gagne fortement à être exploitée.

Cummins a fait valoir que l'enseignement de stratégies interlinguistiques a pour effet de renverser « l'approche des deux solitudes » (2007 : 229). Au lieu de maintenir une séparation entre le français et l'anglais, l'étayage de la bilittératie assure une plus grande cohérence dans le programme d'études. De plus, le fait d'alterner d'une langue à l'autre permet de développer une plus grande flexibilité mentale chez les bilingues émergents (Bialystok, 2007). Cette flexibilité favorise le développement à long terme de l'attention sélective, soit la capacité à se concentrer sur les informations pertinentes.

Il faut toutefois reconnaître que, si l'anglais est la L1 de l'élève, le fait de trop se fier à cette langue pourrait nuire à l'apprentissage du français. Dans une société où la langue anglaise domine, il s'agit d'un risque tout à fait probable. C'est pourquoi le défi de la bilittératie en immersion est de maintenir le français comme langue principale de communication, tout en tirant le meilleur parti possible de l'anglais.

Ce chapitre propose des moyens de renforcer les connexions entre le français et l'anglais, tout en conservant leur usage dans leurs contextes respectifs. Pour ce faire, la collaboration entre les enseignants de français et d'anglais est indispensable. C'est ce qu'on peut voir dans les projets de lecture bilingue présentés dans les prochaines sections. Les enseignants de français et d'anglais partenaires ont planifié ensemble des activités qui commençaient dans un cours et continuaient dans l'autre. De cette façon, chaque langue est demeurée le seul idiome de communication dans leurs classes respectives.

Avantages de la collaboration entre enseignants de français et d'anglais

- Alimente la motivation des élèves
- Crée une continuité entre le cours de français et d'anglais
- Permet aux élèves de puiser dans toutes les ressources linguistiques disponibles
- Répond au principe des Communautés d'apprentissage professionnelles (DuFour, DuFour et Eaker, 2008)

Évidemment, une telle démarche est possible pour les personnes qui enseignent à la fois le français et l'anglais, à condition de traiter chacune des langues dans le cours qui lui est réservé. Vous trouverez à l'annexe F un modèle pour concevoir vos propres projets collaboratifs étayant la bilittératie.

12.2 RÉFLEXIONS : LE PROJET CABANE MAGIQUE

Le projet *Cabane magique* (Lyster, Collins et Ballinger, 2009) était une première expérience réunissant la bilittératie et l'approche intégrée. En ce sens, ce projet est un point de départ ayant mené au projet plus abouti que l'on retrouve dans la section « Application ».

L'expérience impliquait trois paires d'enseignantes associées chacune à un groupe d'immersion française précoce. Chaque paire était composée d'une enseignante de français titulaire qui passait presque toute la journée avec les élèves et d'une enseignante d'anglais qui les voyait de 3 à 5 heures par semaine. L'échantillon d'élèves comprenait un groupe jumelé de 1re et 2e année, un groupe de 2e année et un groupe de 3e année, chacun faisant partie d'une école différente.

Pendant quatre mois, les enseignantes de français et d'anglais ont lu à voix haute trois livres de la série *La Cabane magique*, de Mary Pope Osborne. La lecture d'un ou deux chapitres dans le cours de français alternait avec la lecture d'un ou deux chapitres dans le cours d'anglais, et ainsi de suite. Avant chaque lecture, l'enseignante demandait aux élèves de résumer les chapitres précédents qui avaient été lus dans l'autre langue. Après la lecture, les élèves devaient prédire la suite de l'histoire. Les résumés ainsi que les prédictions ont généré beaucoup de discussions et des occasions propices à la rétroaction des pairs et des enseignantes.

12.2.1 CONTENU THÉMATIQUE ET LINGUISTIQUE

La série *La Cabane magique* de Mary Pope Osborne n'a pas seulement été choisie en fonction de sa publication dans les deux langues. Du point de vue d'une approche intégrée, elle avait l'intérêt d'offrir un contenu lié aux études sociales et aux sciences, et donc de créer un pont entre les arts langagiers et d'autres matières. C'est là une composante qui devrait toujours entrer en jeu dans l'étayage de la bilittératie. Ainsi, l'apprentissage ne se réduit pas à la compétence communicative, mais vise d'autres connaissances et stimule l'intérêt de l'élève.

Les trois livres étudiés, *Panique à Pompéi* (1998a, 2003a), *Le Terrible Empereur de Chine* (1998b, 2003b) et *L'Attaque des Vikings* (1998c, 2003c), explorent l'évolution de l'écriture dans différentes régions du monde. Les deux personnages principaux, Tom et Léa, y font un voyage spatiotemporel dans une cabane magique afin de récupérer des livres détruits ou en danger d'être perdus. Ces excursions permettent aux élèves d'apprendre différents faits historiques, socioculturels et scientifiques. Pour chacune des œuvres, les enseignantes ont introduit un nouveau concept et le mot qui lui correspond en français et en anglais. Après l'expérience, elles ont conclu toutes les six que la double perspective linguistique avait été bénéfique à l'apprentissage de ces concepts.

IMMERSION EN ACTION

L'étayage de la bilittératie ne devrait pas perdre de vue l'objectif de l'approche intégrée, qui est de lier la langue aux autres matières. C'est pourquoi il est important de ne pas limiter la conception d'activités à la simple alternance des deux langues.

Panique à Pompéi

Tom et Léa reviennent à Pompéi en l'an 79 pour retrouver la légende d'Hercule avant l'éruption qui a détruit la ville. Leurs aventures permettent d'en apprendre beaucoup sur Pompéi, le mont Vésuve, les volcans et les villages de l'époque romaine. On y découvre que les livres de l'époque étaient des rouleaux de parchemin faits de papyrus et écrits au moyen de plumes de roseau et d'encre de pieuvre. Dans les deux classes, le livre a fourni l'occasion d'explorer la question des désastres naturels et le fonctionnement d'un cadran solaire ou *sundial* en anglais.

Le Terrible Empereur de Chine

Les personnages sont envoyés en Chine ancienne pour rechercher la légende de la tisserande et du bouvier. Ils y rencontrent le premier empereur de Chine. Le livre permet de connaître la Grande Muraille, l'armée de terre cuite ainsi que le procédé de production de la soie. On peut également y découvrir que, avant l'invention du papier, les livres étaient faits de tiges de bambou sur lesquelles étaient dessinés les caractères chinois. Les mots travaillés en classe incluaient *soie/silk*, *empereur/emperor* et *terre cuite/terra cotta*.

L'Attaque des Vikings

À l'époque du Moyen Âge, Tom et Léa voyagent jusqu'en Irlande pour mettre la main sur une légende ancienne à propos d'un serpent de mer. Ce périple donne l'occasion d'aborder les invasions des Vikings, les monastères médiévaux ainsi que certaines notions maritimes. On y apprend que, à cette époque, les livres étaient écrits en latin au moyen de plumes d'oie et enluminés par des moines sur de la peau de mouton. Dans les deux classes, on a travaillé les nouveaux mots *monastères/monasteries* et *envahisseurs/invaders*.

12.2.2 RÉSULTATS

Les résultats de ce projet de lecture bilingue à haute voix ont été largement positifs. Le fait d'alterner les deux langues a permis aux élèves de mieux comprendre les histoires, tout en augmentant la profondeur de traitement. De plus, étant donné que deux enseignantes différentes étaient impliquées, l'intérêt et la participation des élèves ont été plus importants que d'habitude. Leur désir de continuer à lire seuls d'autres histoires de la même série était frappant : 22 des 23 élèves de 3e année et 14 des 23 élèves de 2e année ont déclaré avoir lu d'autres livres de *La Cabane magique* par la suite. Les deux écoles qui ne possédaient pas toute la série l'ont commandée pour leur bibliothèque afin de répondre à la demande générale !

Nous avons toutefois été surpris de constater que la collaboration entre les enseignantes partenaires avait été minime. Malgré le large éventail de nouveaux mots et concepts présents dans les livres, très peu ont été travaillés en classe. Dans un projet comme celui-ci, les enseignants devraient à tout le moins déterminer des objectifs linguistiques liés au vocabulaire. Par exemple, dans le cas de *Panique à Pompéi* et *Vacation Under the Volcano*, on pourrait se concentrer sur le lexique apparenté aux volcans dans les deux langues : *entrer en éruption/erupt* ; *la lave/lava* ; *la pierre ponce/pumice*. Il serait également possible de souligner la différence de sens entre le mot *scrolls* et son équivalent français, *parchemins*. Avec l'aide de quelques indices, les élèves pourraient remarquer que l'anglais met l'accent sur le format du livre, tandis que le français désigne plutôt son matériau.

IMMERSION EN ACTION

Les activités de lecture ciblant la bilittératie sont idéales pour travailler le vocabulaire en lien avec le contenu thématique. Les nouveaux mots devraient faire l'objet d'un accord entre les enseignants partenaires de façon à assurer une continuité entre les cours des deux langues.

L'expérience du projet *Cabane magique* nous a donc incités à entreprendre un autre projet de lecture bilingue, qui mettrait un accent plus prononcé sur la langue (Lyster, Quiroga et Ballinger, 2013).

12.3 APPLICATION : LE PROJET TOMI UNGERER

Le projet Tomi Ungerer était une initiative de formation professionnelle avec un groupe d'enseignants partenaires en 2ᵉ année. Trois livres de contes illustrés de Tomi Ungerer ont été choisis : *Les Trois Brigands* (1962, 1968), *Jean de la Lune* (1967, 1981) et *Crictor* (1958, 1978). Suivant la logique de l'approche intégrée, les activités ont été conçues pour traiter en alternance le contenu des albums et la langue. L'objectif linguistique ciblé était de sensibiliser les élèves à la formation des mots dans les deux langues. Plus précisément, les enseignants se sont concentrés sur la dérivation lexicale, qui est l'ajout d'unités à un radical de base. Voyons plus en détail son fonctionnement.

La dérivation lexicale

La dérivation lexicale est un procédé qui consiste à ajouter des affixes à un mot (ou radical) de base pour en modifier le sens ou la classe. Les principaux affixes sont :

- les préfixes, placés avant le radical ;
- les suffixes, placés après le radical.

Comme on peut le voir dans les exemples suivants, ces affixes ont souvent une signification ou une fonction précises.

Préfixes
- Le préfixe *re-* signifie « de nouveau » (ex. : *recommencer*, *redire*, *refaire*, *remonter*).
- Le préfixe *in-* ou *im-* signifie « non » (ex. : *incapable*, *inconnu*, *impossible*, *improbable*).

Suffixes
- Le suffixe *-ment* s'ajoute à un adjectif féminin pour former un adverbe (ex. : *franchement*, *malheureusement*) ou à un radical du verbe pour former un nom masculin (ex. : *bâtiment*, *déguisement*).
- Le suffixe *-aine* s'ajoute à certains nombres entiers pour former un nom féminin désignant une quantité approximative (ex. : *dizaine*, *cinquantaine*).

En français, la majorité des mots sont dérivés, c'est-à-dire formés avec des affixes. Comme les affixes ont une signification ou une fonction, leur connaissance s'avère très utile pour comprendre et acquérir de nouveaux mots. En les apprenant, les élèves qui connaissent déjà les mots de base verront leur vocabulaire doubler.

IMMERSION EN ACTION

La dérivation lexicale est un trait linguistique idéal à cibler en bilittératie, car elle est un principe fondateur de nombreuses langues. De plus, une bonne connaissance des préfixes et des suffixes peut élargir le vocabulaire des élèves de manière significative.

La recherche a montré que, comparativement aux locuteurs natifs du même âge, les élèves en immersion ont tendance à sous-utiliser les affixes en français. Par exemple, ils évitent les préfixes dans les verbes dérivés tels que *se recoucher*, optant plutôt pour *se coucher encore* (Harley, 1992). Selon Harley (2013 : 25), cette tendance serait attribuable à l'anglais, «où le sens des préfixes *en-*, *é-*, *sur-* et *re-* est généralement obtenu [...] par l'ajout des particules *in*, *off*, *away*, *over*, *again* après le verbe». En outre, les enseignants en immersion accordent beaucoup plus d'importance à la signification des mots qu'à leur formation (Allen et coll., 1990). Par conséquent, les chercheurs recommandent que la formation des mots soit davantage mise en valeur en contexte immersif (Allen et coll., 1990 ; Clipperton, 1994 ; Harley et King, 1989).

Avantages de l'enseignement de la dérivation lexicale

- Une amélioration du niveau de compréhension en lecture
- Une motivation accrue à explorer le sens des mots
- Un enrichissement du vocabulaire bien au-delà des mots ciblés en classe

(Bowers et coll., 2010 ; Bowers et Kirby, 2010 ; Carlisle, 2000 ; Kuo et Anderson, 2006.)

Toutefois, la dérivation lexicale est un outil dont on devrait se servir avec précaution, comme le souligne Harley (2013). Par exemple, le mot *refuser* peut sembler être formé du préfixe *re-* et du radical *fuser* (ce qui lui donnerait le sens de « fuser de nouveau »), mais il est constitué d'une seule unité lexicale. Malgré ce bémol, il reste très pertinent d'aborder la formation des mots en immersion, et ce, assez tôt dans l'apprentissage. C'est que, comme l'ont constaté Bowers et coll. (2010), l'enseignement de la dérivation lexicale est particulièrement efficace avec les jeunes apprenants lorsqu'il est intégré à des activités de littératie et d'exploration thématique.

12.3.1 CONTENU THÉMATIQUE ET LINGUISTIQUE

À la différence de la série *La Cabane magique*, les albums illustrés de Tomi Ungerer n'étaient pas divisés en chapitres. Les enseignants partenaires ont donc procédé de deux manières : soit en lisant les contes au moins une fois dans chaque langue, soit en alternant la lecture de passages en français et en anglais. Les albums *Crictor* et *Les Trois Brigands* serviront d'exemple pour illustrer comment la dérivation lexicale a été abordée dans les deux langues. Commençons par le cas de *Crictor*.

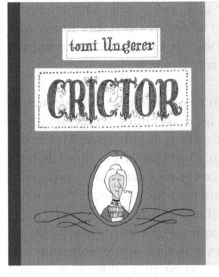

Crictor, un boa constrictor, a été offert en cadeau à Mme Bodot, une enseignante qui habite à Paris. Elle s'assure que Crictor se sente à l'aise dans sa maison en lui installant un grand lit à côté de palmiers et va jusqu'à lui tricoter une longue écharpe. À son tour, Crictor se rend utile à la communauté en aidant les enfants de l'école à compter, à lire l'alphabet et à faire des nœuds. Il sert aussi de glissade, de corde à sauter, et les amuse de toutes sortes de façons. Au point culminant du conte, Crictor devient un héros en sauvant Mme Bodot d'un cambrioleur qui l'avait bâillonnée et ligotée. On lui décerne une médaille pour sa bravoure et on érige une statue en son honneur.

La lecture de *Crictor* a fourni l'occasion d'explorer le thème de l'héroïsme. Pour souligner les qualités de Crictor, les enseignants de français ont attiré l'attention des élèves sur des mots clés tels que *serviable, fidèle, honneur, respecté*. Quant aux enseignants d'anglais, ils ont mis l'accent sur les mots équivalents dans la version anglaise : *helpful, faithful, honour, respected*.

Les enseignants ont également fait ressortir les dérivations lexicales liées au thème. Par exemple, ils ont mis en évidence les mots apparentés *héros* et *héroïsme* en français, de même que *hero* et *heroism* en anglais. Ils ont attiré l'attention des élèves sur des suffixes tels que *-ique* et *-ic* (*héroïque/heroic*) pour les amener à découvrir des dérivations analogues dans les deux langues :

Français	Anglais
• *science* ➜ *scientifique*	• *science* ➜ *scientific*
• *histoire* ➜ *historique*	• *history* ➜ *historic*

D'autres suffixes abordés ciblaient des mots dérivés dont le sens était étroitement lié au récit :

Français	Anglais
• *courage* ➜ *courageux*	• *courage* ➜ *courageous*
• *danger* ➜ *dangereux*	• *danger* ➜ *dangerous*

Pour mettre en pratique ces apprentissages, les élèves ont participé à plusieurs tâches ou jeux qui leur demandaient de former d'autres mots avec les mêmes suffixes. Par exemple, ils ont combiné des fiches comportant soit des mots de base, soit des affixes.

Les enseignants ont aussi attiré l'attention des élèves sur des suffixes qui différaient d'une langue à l'autre, tels que *-ful* en anglais (*helpful, faithful*, etc.) et *-ment* en français (*hurlement, déguisement*, etc.). Cela a permis d'éviter l'hypothèse trompeuse que les suffixes pourraient être identiques dans les deux langues. L'intention était de montrer que, même si la formation des mots est une réalité commune au français et à l'anglais, certains affixes sont uniques à chaque langue. Cela rejoint la thèse de Cummins concernant la compétence sous-jacente commune et la structure de surface.

Finalement, une tâche conçue et réalisée par deux enseignantes partenaires a permis de créer un lien thématique entre les deux cours. La tâche visait à explorer le thème du service dans *Crictor*. En effet, dans le livre, Mme Bodot aide Crictor à s'adapter à sa nouvelle maison, alors que Crictor rend de multiples services à sa nouvelle communauté. Les enseignantes ont commencé par présenter aux élèves quatre autres animaux : les girafes, les pieuvres, les porcs-épics et les chauves-souris. Les élèves devaient imaginer ce qui se passerait s'ils en adoptaient un comme animal de compagnie. Après un remue-méninges à l'oral, les élèves du cours d'anglais ont créé chacun une illustration annotée représentant ce qu'ils feraient pour aider leur animal de compagnie à habiter son nouveau domicile. Ensuite, dans le cours de français, les élèves ont préparé une illustration annotée des façons dont le même animal se rendrait utile à sa communauté d'adoption. Le produit final était un livre de classe bilingue réunissant les contributions de chaque élève en français et en anglais sur des pages en regard.

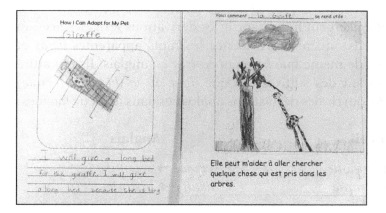

Passons maintenant au second exemple d'activité sur *Les Trois Brigands*.

LES TROIS BRIGANDS
TOMI UNGERER

Les trois brigands sont de vilains voleurs qui font peur à tout le monde. Ils se cachent au bord de la route et, lorsque des voyageurs passent, ils les dévalisent. Dans leur cachette en haut d'une montagne, ils gardent précieusement le fruit de leurs vols.

Un jour, ils rencontrent une jeune orpheline nommée Tiffany, qui leur plaît beaucoup. Chez eux, elle découvre leurs coffres remplis de trésors et leur demande ce qu'ils en feront. Sans jamais y avoir réfléchi, ils décident alors d'acheter un magnifique château pour loger tous les enfants malheureux et abandonnés. Ces malfaiteurs sont ainsi transformés en samaritains dévoués au bonheur des enfants !

L'enseignante de français commençait la lecture à voix haute de l'album et s'arrêtait au moment où Tiffany découvre les trésors cachés par les trois brigands. Les élèves devaient ensuite prédire à l'oral comment l'argent pourrait être dépensé et illustrer leurs hypothèses en les accompagnant de légendes. Dans le cours d'anglais, l'enseignante demandait aux élèves de raconter leurs prédictions et continuait ensuite la lecture de *The Three Robbers*. Les élèves comparaient finalement leurs prédictions avec le dénouement réel de l'histoire.

Cette activité a été conçue pour osciller non seulement entre les deux langues, mais aussi entre le contenu et la forme. Pour travailler la dérivation lexicale, les enseignantes ont souligné l'emploi et la signification des préfixes *mal-* dans *malheureux* et *un-* dans *unhappy*. Les élèves ont ensuite réalisé des tâches ou des jeux où il fallait former d'autres mots avec les mêmes préfixes. En anglais, cela comprenait des adjectifs comme *unable* et *unbelievable* et des verbes tels que *unfold* et *unpack*. Un des jeux demandait aux élèves de faire deviner ces verbes d'action à leurs camarades à l'aide de mimes. En français, l'enseignante a attiré l'attention sur des adjectifs tels que *malhonnête* et *malpoli*. Cependant, puisque *mal-* est peu employé comme préfixe, elle a également ciblé le préfixe plus fréquent *in-* dans des mots comme *incapable* et *incroyable*.

12.3.2 RÉSULTATS

Une de nos inquiétudes était que les élèves de 2e année ne soient pas prêts à aborder la dérivation lexicale. En effet, selon Kuo et Anderson (2006), la conscience explicite de la formation des mots se développe en principe à partir de la 3e ou 4e année. Toutefois, dans la commission scolaire visée, les enseignants des niveaux supérieurs à la 2e année s'étaient déjà engagés dans d'autres activités de perfectionnement professionnel. Cela nous a donc donné l'occasion de tester l'efficacité et la faisabilité d'une telle approche chez des apprenants plus jeunes. Des recherches antérieures (Bowers et coll., 2010; Kuo et Anderson, 2006) avaient déjà relevé les avantages de commencer cet apprentissage plus tôt. Elles soutenaient que l'introduction précoce de la dérivation lexicale consoliderait le développement de la littératie.

Les post-tests réalisés en français ont confirmé cette thèse. Comparativement au groupe ayant reçu l'enseignement habituel, le groupe expérimental a obtenu des résultats significativement supérieurs. De plus, les réactions des enseignants participants ont été très positives. Ils ont souligné à l'unanimité l'enthousiasme des élèves lors des activités. Comme l'a déclaré une enseignante, «les enfants ont bien réagi aux leçons, [...] ils ont vu qu'elles étaient étroitement liées et ils ont aimé la lecture du livre en anglais et [...] en français». Malgré notre inquiétude à cet égard, l'utilisation du même album dans chaque langue n'a pas été une source d'ennui ni de confusion pour les élèves.

La motivation des jeunes enfants participant au projet Tomi Ungerer a sans doute contribué à l'importante amélioration de leurs compétences. Comme le notent Bowers et coll. (2010), un intérêt accru apporte un excellent soutien au développement de la littératie. Le fait de comparer les mots, les significations et les traits linguistiques des deux langues peut faire des élèves de véritables « détectives » linguistiques (Lambert et Tucker, 1972 : 208). Une fois sensibilisés, les élèves seront plus curieux et remarqueront davantage de traits dans les deux langues. C'est ce que relatent ces deux enseignantes ayant participé au projet Tomi Ungerer.

Prof de français		Prof d'anglais
Ils embarquent vraiment, puis ils le voient dans d'autres situations. [...] Ils utilisent même le vocabulaire : « Hein, c'est un préfixe ! »	▶	*They started seeing it when we were doing other activities. [...] They would say, "Oh look! A little word inside a big word."*

Espérons que ces témoignages vous auront convaincu d'étayer la bilittératie dans votre propre pratique d'enseignement !

Conclusion

L'approche intégrée prône l'intégration de la langue au cœur du programme d'études (*language across the curriculum*), c'est-à-dire dans toutes les disciplines scolaires (Bullock, 1975). Elle implique que tous les enseignants sont responsables de l'apprentissage de la langue, peu importe la matière vue dans leur classe. Dans une approche intégrée, le contenu n'est jamais enseigné sans faire référence à la langue utilisée, et la langue est toujours abordée dans un contexte signifiant (Handscombe, 1990 : 185). Les programmes d'immersion, qui ont pour objectif de favoriser l'apprentissage de la L2 dans une variété de matières, se prêtent on ne peut mieux à une telle vision.

Ce livre a montré, au moyen de nombreuses recherches, que l'approche intégrée est non seulement efficace, mais essentielle à la réussite des programmes d'immersion. Néanmoins, elle n'est pas sans défis, et son application en contexte immersif continue de se révéler ardue pour les enseignants (Cammarata et Tedick, 2012). L'objectif de ce livre a été de stimuler votre réflexion sur ces difficultés et de vous outiller pour les surmonter. Les exemples d'interventions réactives et proactives ont mis en lumière les liens possibles entre le contenu disciplinaire ou thématique et des traits linguistiques précis. On a vu comment les défis posés par les temps verbaux, les verbes de mouvement, le genre grammatical et les pronoms pouvaient être relevés de façon adaptée au contexte immersif. J'espère que les exemples fournis dans ce livre constitueront un terreau fertile pour votre propre pratique, et même que vous saurez les dépasser !

Dans une certaine mesure, les enseignants de l'élémentaire sont bien placés pour adopter une approche intégrée. Le fait d'enseigner plusieurs matières au même groupe d'élèves facilite la planification de séquences où la langue prend une place plus importante. Cela dit, l'approche intégrée est tout à fait réalisable à des niveaux supérieurs, même si les enseignants touchent rarement à plus d'un domaine. Comme on l'a vu au chapitre 12, il est possible de créer des liens entre les langues et les contenus abordés tout en conservant une focalisation sur la matière principale du cours. La collaboration entre collègues devient alors un outil précieux.

L'approche intégrée développée dans cet ouvrage sert ainsi de point de départ pour une démarche transdisciplinaire. Dans la transdisciplinarité, les différentes composantes du programme sont réunies grâce à l'étayage et à la collaboration de plusieurs enseignants. C'est ce qu'on peut observer dans le modèle d'intégration transdisciplinaire suivant, présenté à titre d'exemple.

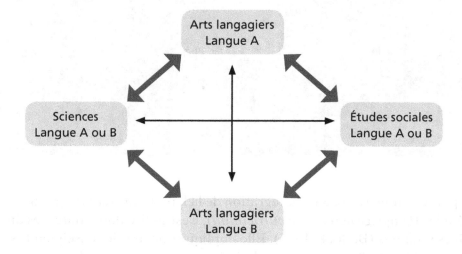

Selon ce modèle, la collaboration des enseignants favorise un apprentissage intégré des langues cibles tout en créant des liens cohérents entre les matières. Le modèle présente seulement les sciences et les études sociales, deux matières populaires dans les programmes d'immersion, mais il y a bien sûr d'autres possibilités.

Un exemple d'application au secondaire irait comme suit.

- Dans les cours d'arts langagiers, on ferait des connexions thématiques entre des romans tels que *Les Misérables* de Victor Hugo (en français) et *A Tale of Two Cities* de Charles Dickens (en anglais).
- Dans le cours d'histoire, on étudierait la Révolution française ou les effets de l'industrialisation sur les conditions sociales au XIXᵉ siècle.
- En sciences, on verrait le fonctionnement de la machine à vapeur, qui a encouragé la multiplication d'usines pendant la révolution industrielle.

Cette collaboration pourrait même s'étendre aux cours d'art, de musique ou de théâtre selon les options du programme. Dans chacun des cours, évidemment, des traits linguistiques spécifiques à la langue d'enseignement seraient abordés.

L'approche intégrée vous amènera sans le moindre doute à faire preuve de créativité, que ce soit dans vos propres cours ou lors de collaborations avec vos collègues. Elle implique une réinvention constante de votre pratique et une adaptation soutenue à la réalité de vos classes. Ces efforts, néanmoins, seront récompensés, non seulement par l'amélioration des élèves, mais par une plus grande curiosité à l'égard de la langue. N'hésitez pas à vous servir de tous les outils mis à votre disposition, tels que les annexes et les vidéos de ce livre, pour intégrer dès maintenant la langue à travers tout le programme scolaire.

Références

Alexander, R. (2003). *Talk for learning: The first year*. Northallerton, R.-U.: North Yorkshire County Council.

Allen, P., Swain, M., Harley, B. et Cummins, J. (1990). Aspects of classroom treatment: Toward a more comprehensive view of second language education. Dans B. Harley, P. Allen, J. Cummins et M. Swain (dir.), *The development of second language proficiency* (p. 57-81). Cambridge, R.-U.: Cambridge University Press.

Ammar, A. et Spada, N. (2006). One size fits all? Recasts, prompts and L2 learning. *Studies in Second Language Acquisition*, *28*, 543-574.

Anderson, J. (1996). *The architecture of cognition*. Mahwah, NJ: Lawrence Erlbaum.

Anderson, J., Greeno, J., Kline, P. et Neves, D. (1981). Acquisition of problem-solving skill. Dans J. Anderson (dir.), *Cognitive skills and their acquisition* (p. 191-230). Mahwah, NJ: Lawrence Erlbaum.

Argue, V., Lapkin, S., Swain, M., Howard, J. et Lévy, L. (1990). *Enseignement du français en immersion française: un survol de la 6ᵉ à la 8ᵉ année.* [Cassette vidéo et guide d'utilisation.] Toronto, Ontario: Institut d'études pédagogiques de l'Ontario de l'Université de Toronto.

Auger, J. (2002). French immersion in Montreal: Pedagogical norms and functional competence. Dans S. Gass, K. Bardovi-Harlig, S. Magnan et J. Walz (dir.), *Pedagogical norms for second and foreign language learning and teaching* (p. 81-101). Amsterdam, Pays-Bas: John Benjamins.

Ayoun, D. (2010). Corpus data: Shedding the light on French grammatical gender... or not. Dans L. Roberts, M. Howard, M. Ó Laoire et D. Singleton (dir.), *EUROSLA Yearbook* (p. 119-141). Amsterdam, Pays-Bas: John Benjamins.

Bange, P., Carol, R. et Griggs, P. (2005). *L'Apprentissage d'une langue étrangère: cognition et interaction*. Paris, France: L'Harmattan.

Bérard, E. et Lavenne, C. (1991). *Grammaire utile du français*. Paris, France: Hatier.

Bescherelle, L.-N. (2012). *Bescherelle: l'art de conjuguer: dictionnaire de 12000 verbes*. Montréal, Québec: Hurtubise.

de Bessé, B., Blouin, J., Chevrier, C., Cauchon, J. et Giroux, G. (1994). *Le Robert junior illustré. Édition nord-américaine*. Montréal, Québec: Dictionnaires Le Robert.

Bialystok, E. (1994). Analysis and control in the development of second language proficiency. *Studies in Second Language Acquisition*, *16*, 157-168.

Bialystok, E. (2007). Cognitive effects of bilingualism: How linguistic experience leads to cognitive change. *International Journal of Bilingual Education and Bilingualism*, *10*(3), 210-223.

Bibliothèque et Archives nationales du Canada. (2005). Les premières communautés canadiennes à la portée des jeunes : les Ukrainiens. Repéré à https://www.collectionscanada.gc.ca/settlement/kids/021013-2171-f.html

Billey-Lichon, E. (1992, le 8 novembre). Une langue française « made in Québec ». *La Presse*.

Bowers, P. N. et Kirby, J. R. (2010). Effects of morphological instruction on vocabulary acquisition. *Reading and Writing: An Interdisciplinary Journal, 23*, 515-537.

Bowers, P. N., Kirby, J. et Deacon, H. (2010). The effects of morphological instruction on literacy skills: A systematic review of the literature. *Review of Educational Research, 80*, 144-179.

Brissaud, C., Fisher, C. et Negro, I. (2012). The relation between spelling and pronunciation: The case of French and the phonological variation of /e/ ~ /ɛ/ in different French dialects. *Written Language & Literacy, 15*(1), 46-64.

Brown, D. (2014). The type and linguistic foci of oral corrective feedback in the L2 classroom: A meta-analysis. *Language Teaching Research*. DOI: 10.1177/1362168814563200.

Bullock, A. (1975). *A language for life*. Londres, R.-U. : Department of Education and Science.

Calvé, P. (1992). Corriger ou ne pas corriger, là n'est pas la question. *La Revue canadienne des langues vivantes, 48*, 458-471.

Cameron, L. (2001). *Teaching languages to young learners*. Cambridge, R.-U. : Cambridge University Press.

Cammarata, L. et Tedick, D. J. (2012). Balancing content and language in instruction: The experience of immersion teachers. *The Modern Language Journal, 96*, 251-269.

Canale, M. (1983). From communicative competence to communicative language pedagogy. Dans J. C. Richards et R. W. Schmidt (dir.), *Language and communication* (p. 2-27). Londres, R.-U. : Longman.

Canale, M. et Swain, M. (1980). Theoretical bases of communicative approaches to second language teaching and testing. *Applied Linguistics, 1*, 1-47.

Carlisle, J. (2000). Awareness of the structure and meaning of morphologically complex words: Impact on reading. *Reading and Writing: An Interdisciplinary Journal, 12*, 169-190.

Carroll, S. (1989). Second-language acquisition and the computational paradigm. *Language Learning, 39*, 535-594.

Clark, S. (1995). The generation effect and the modeling of associations in memory. *Memory & Cognition, 23*, 442-455.

Clipperton, R. (1994). Explicit vocabulary instruction in French immersion. *La Revue canadienne des langues vivantes, 50*, 737-749.

Collins, M.-C. et Rioux, F. (1989). *Création d'une colonie spatiale : une unité de français pour les élèves de septième année d'immersion précoce*. Sous la direction de E. Day et S. Shapson. Burnaby, C.-B. : Université Simon Fraser.

Cook, V. (2001). Using the first language in the classroom. *La Revue canadienne des langues vivantes, 57*, 402-423.

Corriveau, M. (1966). *Max*. Toronto : Copp Clark Pitman.

Côté, C. (2015). Jacques Cartier et la course vers le Nouveau Monde [Vidéo en ligne]. Repéré à https://www.youtube.com/watch?v=_vsqzjD_oe8&feature=youtu.be

CREDIF [Centre de recherche et d'étude pour la diffusion du français]. (1961). *Voix et images de France*. Saint-Cloud, France : École normale supérieure de Saint-Cloud.

Cumming, J. et Lyster, R. (2016). Integrating CBI into high school foreign language classrooms. Dans L. Cammarata (dir.), *Content-based foreign language teaching: Curriculum and pedagogy for developing advanced thinking and literacy skills* (p. 77-97). New York, NY : Routledge/Taylor & Francis.

Cummins, J. (2000). *Language, power, and pedagogy: Bilingual children in the cross-fire*. Clevedon, R.-U. : Multilingual Matters.

Cummins, J. (2007). Rethinking monolingual instructional strategies in multilingual classrooms. *Canadian Journal of Applied Linguistics*, *10*, 221-241.

Dalton-Puffer, C. (2006). Questions in CLIL classrooms: Strategic questioning to encourage speaking. Dans A. Martinez-Flor et E. Usó (dir.), *Current trends in the development of the four skills within a communicative framework* (p. 187-213). Berlin, Allemagne : Mouton de Gruyter.

Day, E. et Shapson, S. (1991). Integrating formal and functional approaches to language teaching in French immersion: An experimental study. *Language Learning*, *41*, 25-58.

Day, E. et Shapson, S. (1996). *Studies in immersion education*. Clevedon, R.-U. : Multilingual Matters.

de Bot, K. (1996). The psycholinguistics of the output hypothesis. *Language Learning*, *46*, 529-555.

DeKeyser, R. (1998). Beyond focus on form: Cognitive perspectives on learning and practicing second language grammar. Dans C. Doughty et J. Williams (dir.), *Focus on form in classroom second language acquisition* (p. 42-63). Cambridge, R.-U. : Cambridge University Press.

DeKeyser, R. (dir.). (2007). *Practice in a second language: Perspectives from applied linguistics and cognitive psychology*. Cambridge, R.-U. : Cambridge University Press.

deWinstanley, P. et Bjork, E. (2004). Processing strategies and the generation effect: Implications for making a better reader. *Memory & Cognition*, *32*(6), 945-955.

Doughty, C. et Varela, E. (1998). Communicative focus on form. Dans C. Doughty et J. Williams (dir.), *Focus on form in classroom second language acquisition* (p. 114-138). New York, NY : Cambridge University Press.

DuFour, R., DuFour, R. B. et Eaker, R. (2008). *Revisiting professional learning communities at work: New insights for improving schools*. Bloomington, IN : Solution Tree.

Dumas, G., Selinker, L. et Swain, M. (1973). L'apprentissage du français langue seconde en classe d'immersion dans un milieu torontois. *Working Papers on Bilingualism*, *1*, 66-82.

Echevarría, J. et Graves, A. (1998). *Sheltered content instruction*. Boston, MA : Allyn & Bacon.

Fanselow, J. (1987). *Breaking rules: Generating and exploring alternatives in language teaching*. White Plains, NY : Longman.

Fanselow, J. (1992). *Try the opposite*. Tokyo, Japon : SIMUL.

Filiatrault, D. (réalisatrice). (2002). *L'Odyssée d'Alice Tremblay* [Film]. Montréal, Québec : Cinémaginaire.

Fortune, T. (en collaboration avec M. Menke). (2010). *Struggling learners and language immersion education*. Minneapolis, MN : University of Minnesota.

Fortune, T. (2000). Immersion teaching strategies observation checklist. *ACIE Newsletter*, *4*(1), 1-4.

Fortune, T. (2014). *Immersion teaching strategies observation checklist* (révisé). Document inédit.

Gagnon, E. (2016). Settling the West: Immigration to the Prairies from 1967 to 1914. Repéré à https://www.pier21.ca/research/immigration-history/settling-the-west-immigration-to-the-prairies-from-1867-to-1914

Genesee, F. (1987). *Learning through two languages: Studies of immersion and bilingual children*. Cambridge, MA : Newbury House.

Gibbons, P. (2003). Mediating language learning: Teacher interactions with ESL students in a content-based classroom. *TESOL Quarterly*, *37*(2), 247-273.

Gibbons, P. (2015). *Scaffolding language, scaffolding learning: Teaching second language learners in the mainstream classroom* (2ᵉ éd.). Portsmouth, NH : Heinemann.

Grevisse, M. (2011). *Le bon usage*. Bruxelles : De Boeck.

Handscombe, J. (1990). The complementary roles of researchers and practitioners in second language education. Dans B. Harley, P. Allen, J. Cummins et M. Swain (dir.), *The development of second language proficiency* (p. 181-186). Cambridge, R.-U. : Cambridge University Press.

Haneda, M. (2005). Functions of triadic dialogue in the classroom: Examples for L2 research. *La Revue canadienne des langues vivantes*, *62*, 313-333.

Harley, B. (1979). French gender 'rules' in the speech of English-dominant, French-dominant, and monolingual French-speaking children. *Working Papers in Bilingualism*, *19*, 129-156.

Harley, B. (1980). Interlanguage units and their relations. *Interlanguage Studies Bulletin*, *5*, 3-30.

Harley, B. (1986). *Age in second language acquisition*. Clevedon, R.-U. : Multilingual Matters.

Harley, B. (1989). Functional grammar in French immersion: A classroom experiment. *Applied Linguistics*, *10*, 331-359.

Harley, B. (1992). Patterns of second language development in French immersion. *Journal of French Language Studies*, *2*, 159-183.

Harley, B. (1993). Instructional strategies and SLA in early French immersion. *Studies in Second Language Acquisition*, *15*, 245-259.

Harley, B. (1998) The role of form-focused tasks in promoting child L2 acquisition. Dans C. Doughty et J. Williams (dir.), *Focus on form in classroom second language acquisition* (p. 156-174). Cambridge, R.-U. : Cambridge University Press.

Harley, B. (2007). *Apprendre la langue en immersion : points de repère pour l'enseignant-e*. Toronto, Ontario : Institut d'études pédagogiques de l'Ontario de l'Université de Toronto.

Harley, B. (2013). La langue en jeu dans les classes communicatives de français langue seconde. Repéré à http://www.caslt.org/resources/french-sl/program-support-intensive-core-french_en.php

Harley, B., Cummins, J., Swain, M. et Allen, P. (1990). The nature of language proficiency. Dans B. Harley, P. Allen, J. Cummins et M. Swain (dir.), *The development of second language proficiency* (p. 7-25). Cambridge, R.-U. : Cambridge University Press.

Harley, B. et King, M. (1989). Verb lexis in the written compositions of young L2 learners. *Studies in Second Language Acquisition*, *11*, 415-439.

Harley, B., Ullmann, R. et Mackay, L. (1985). *Parlons du passé*. Toronto, Ontario : Institut d'études pédagogiques de l'Ontario de l'Université de Toronto.

Jean, G. et Simard, D. (2011). Grammar teaching and learning in L2: Necessary, but boring? *Foreign Language Annals*, *44*(3), 467-494.

Johnson, R. (1996). *Language teaching and skill learning*. Oxford, R.-U. : Blackwell.

Kaldor, C., Campagne, A. et Campagne, C. (1995). Il y a des accidents [Chantée par C. Campagne]. Sur *La vache en Alaska* [CD]. Willowdale, Ontario : MCA Records Canada.

Knowles, V. (2000). Les artisans de notre patrimoine : la citoyenneté et l'immigration au Canada de 1900 à 1977. Repéré à http://www.cic.gc.ca/francais/ressources/publications/patrimoine/index.asp

Krashen, S. (1985). *The input hypothesis: Issues and implications*. Londres, R.-U. : Longman.

Kropp, P. (1981). *Le cave*. Montréal, Québec : Fides.

Kuo, L.-J. et Anderson, R. C. (2006). Morphological awareness and learning to read: A cross-language perspective. *Educational Psychologist*, *41*, 161-180.

Lambert, W. et Tucker, R. (1972). *Bilingual education of children: The St. Lambert experiment*. Rowley, MA: Newbury House.

Lamoureux, S. (2010). *L'écologie*. Paris, France: Nathan.

Larose, C., Le Petitcorps, F., Jutras, L. et Bissonnette, L. (1994). *Mémo mag 5*. Montréal, Québec: Graficor.

Legault, M.-A., Pelletier, C. et Batigne, S. (2006). *L'environnement: comprendre le fragile équilibre de la vie sur terre*. Montréal, Québec: Québec Amérique.

Lightbown, P. M. (1991). What have we here? Some observations on the influence of instruction on L2 learning. Dans R. Phillipson, E. Kellerman, L. Selinker, M. Sharwood Smith et M. Swain (dir.), *Foreign/second language pedagogy research* (p. 197-212). Clevedon, R.-U.: Multilingual Matters.

Lightbown, P. M. (2008). Transfer appropriate processing as a model for class second language acquisition. Dans Z. Han (dir.), *Understanding second language process* (p. 27-44). Clevedon, R.-U.: Multilingual Matters.

Lightbown, P. M. (2014). *Focus on content-based language teaching*. Oxford, R.-U.: Oxford University Press.

Lightbown, P. M. et Spada, N. (1990). Focus on form and corrective feedback in communicative language teaching: Effects on second language learning. *Studies in Second Language Acquisition, 12*, 429-448.

Llinares, A. et Lyster, R. (2014). The influence of context on patterns of corrective feedback and learner uptake: A comparison of CLIL and immersion classrooms. *The Language Learning Journal, 42*(2), 181-194.

Loewen, S. et Philp, J. (2006). Recasts in the adult English L2 classroom: Characteristics, explicitness, and effectiveness. *The Modern Language Journal, 90*, 536-555.

Long, M. (1991). Focus on form: A design feature in language teaching methodology. Dans K. de Bot, R. Ginsberg et C. Kramsch (dir.), *Foreign language research in cross-cultural perspective* (p. 39-52). Amsterdam, Pays-Bas: John Benjamins.

Lyster, R. (1987). Speaking immersion. *La Revue canadienne des langues vivantes, 43*, 701-717.

Lyster, R. (1993). *The effect of functional-analytic teaching on aspects of sociolinguistic competence: An experimental study in French immersion classrooms at the Grade 8 level* (Thèse de doctorat inédite). Université de Toronto.

Lyster, R. (1994). The effect of functional-analytic teaching on aspects of French immersion students' sociolinguistic competence. *Applied Linguistics, 15*, 263-287.

Lyster, R. (1996). Question forms, conditionals, and second-person pronouns used by adolescent native speakers across two levels of formality in written and spoken French. *The Modern Language Journal, 80*, 165-182.

Lyster, R. (1998). Recasts, repetition, and ambiguity in L2 classroom discourse. *Studies in Second Language Acquisition, 20*, 51-81.

Lyster, R. (1999). La négociation de la forme: la suite... mais pas la fin. *La Revue canadienne des langues vivantes, 55*, 355-384.

Lyster, R. (2004). Differential effects of prompts and recasts in form-focused instruction. *Studies in Second Language Acquisition, 26*, 399-432.

Lyster, R. (2006). Predictability in French gender attribution: A corpus analysis. *Journal of French Language Studies, 16*, 69-92.

Lyster, R. (2007). *Learning and teaching languages through content: A counterbalanced approach*. Amsterdam, Pays-Bas: John Benjamins.

Lyster, R., Collins, L. et Ballinger, S. (2009). Linking languages through a bilingual read-aloud project. *Language Awareness, 18*, 366-383.

Lyster, R. et Izquierdo, J. (2009). Prompts versus recasts in dyadic interaction. *Language Learning, 59*, 453-498.

Lyster, R., Quiroga, J. et Ballinger, S. (2013). The effects of biliteracy instruction on morphological awareness. *Journal of Immersion and Content-Based Language Education, 1*(2), 169-197.

Lyster, R. et Ranta, L. (1997). Corrective feedback and learner uptake: Negotiation of form in communicative classrooms. *Studies in Second Language Acquisition, 19*, 37-66.

Lyster, R. et Rebuffot, J. (2002). Acquisition des pronoms d'allocution en classe de français immersif. *Acquisition et interaction en langue étrangère, 17*, 51-71.

Lyster, R. et Saito, K. (2010). Oral feedback in classroom SLA: A meta-analysis. *Studies in Second Language Acquisition, 32*, 265-302.

Lyster, R., Saito, K. et Sato, M. (2013). Oral corrective feedback in second language classrooms. *Language Teaching, 46*(1), 1-40.

Lyster, R. et Sato, M. (2013). Skill Acquisition Theory and the role of practice in L2 development. Dans P. García Mayo, M. Gutierrez-Mangado et M. Martínez Adrián (dir.), *Contemporary approaches to second language acquisition* (p. 71-92). Amsterdam, Pays-Bas: John Benjamins.

McLaughlin, B. (1987). *Theories of second-language learning*. Londres, R.-U.: Edward Arnold.

McLaughlin, B. (1990). Restructuring. *Applied Linguistics, 11*, 113-128.

Mercer, N. (1999). Classroom language. Dans B. Spolsky (dir.), *Concise encyclopedia of educational linguistics* (p. 315-319). Oxford, R.-U.: Pergamon.

Mohan, B. et Beckett, G. H. (2001). A functional approach to research on content-based language learning: Recasts in causal explanations. *La Revue canadienne des langues vivantes, 58*, 133-155.

Mougeon, R. et Ducharme, C. (1985). *Vocabulaire et variétés de langue*. Toronto, Ontario: Institut d'études pédagogiques de l'Ontario de l'Université de Toronto.

Mougeon, R., Nadasdi, T. et Rehner, K. (2010). *The sociolinguistic competence of immersion students*. Bristol, R.-U.: Multilingual Matters.

Musumeci, D. (1996). Teacher-learner negotiation in content-based instruction: Communication at cross-purposes? *Applied Linguistics, 17*, 286-325.

Nassaji, H. et Wells, G. (2000). What's the use of 'triadic dialogue'? An investigation of teacher-student interaction. *Applied Linguistics, 21*, 376-406.

Netten, J. et Spain, W. (1989). Student-teacher interaction patterns in the French immersion classroom: Implications for levels of achievement in French language proficiency. *La Revue canadienne des langues vivantes, 45*, 485-501.

Nicolazzi, I. (2009). *Mon atlas écolo*. Toulouse, France: Milan Jeunesse.

Norman, L. (1992). *L'erreur à l'heure de la pédagogie de la communication en immersion*. Document inédit.

Osborne, M. (1998a). *Vacation Under the Volcano*. New York, NY: Random House.

Osborne, M. (1998b). *Day of the Dragon King*. New York, NY: Random House.

Osborne, M. (1998c). *Viking Ships at Sunrise*. New York, NY: Random House.

Osborne, M. (2003a). *Panique à Pompéi*. Paris, France: Bayard Jeunesse.

Osborne, M. (2003b). *Le Terrible Empereur de Chine*. Paris, France: Bayard Jeunesse.

Osborne, M. (2003c). *L'Attaque des Vikings*. Paris, France: Bayard Jeunesse.

de Panafieu, J. B. (2009). *L'environnement*. Paris, France: Gallimard Jeunesse.

Parent, L. et Lafaille, A.-C. (2011). *Au fil des temps 5ᵉ année. Cahier d'apprentissage*. Montréal, Québec: Les Éditions CEC.

Pessoa, S., Hendry, H., Donato, R., Tucker, G. R. et Lee, H. (2007). Content-based instruction in the foreign language classroom: A discourse perspective. *Foreign Language Annals, 40*, 102-121.

Poirier, J. (2012). *Pronoms clitiques objets: fréquence et expression du genre grammatical dans le discours oral des enseignants en classes d'immersion* (Mémoire de maîtrise inédit). Université du Québec à Montréal.

Poirier, J. et Lyster, R. (2014). Les pronoms objets directs de la 3ᵉ personne et leur apport aux indices du genre grammatical dans le discours oral des enseignants en immersion. *La Revue canadienne des langues vivantes, 70*(2), 246-267.

Poulin, S. (2003). *Catch That Cat!* Plattsburgh, NY : Tundra Books.

Poulin, S. (2003). *Peux-tu attraper Joséphine ?* Plattsburgh, NY : Toundra.

Pouliot, J.-F. (réalisateur). (2003). *La Grande Séduction* [Film]. Canada : Max Films.

Ranta, L. et Lyster, R. (2007). A cognitive approach to improving immersion students' oral language abilities: The Awareness-Practice-Feedback sequence. Dans R. DeKeyser (dir.), *Practice in a second language: Perspectives from applied linguistics and cognitive psychology* (p. 141-160). Cambridge, R.-U. : Cambridge University Press.

Rebuffot, J. (1993). *Le point sur l'immersion au Canada.* Montréal, Québec : Les Éditions CEC.

Sagnier, C. (2009). *L'écologie.* Paris, France : Fleuris.

de Salins, G.-D. (1996). *Grammaire pour l'enseignement/apprentissage du FLE.* Paris, France : Didier/Hatier.

Samuel, C. et Vendette, C. (2011). *Signes des temps 4ᵉ année. Cahier d'apprentissage.* Montréal, Québec : Les Éditions CEC.

Sankoff, G. et Vincent, D. (1977). L'emploi productif du *ne* dans le français parlé à Montréal. *Le français moderne, 45,* 243-256.

Seedhouse, P. (2004). *The interactional architecture of the language classroom: A conversation analysis perspective.* Malden, MA : Blackwell.

Segalowitz, N. (2000). Automaticity and attentional skill in fluent performance. Dans H. Riggenbach (dir.), *Perspectives on fluency* (p. 200-219). Ann Arbor, MI : University of Michigan Press.

Selinker, L. (1972). Interlanguage. *International Review of Applied Linguistics in Language Teaching, 10*(1-4), 209-232.

Selinker, L., Swain, M. et Dumas, G. (1975). The interlanguage hypothesis extended to children. *Language Learning, 25*(1), 139-152.

Sharpe, T. (2006). 'Unpacking' scaffolding: Identifying discourse and multimodal strategies that support learning. *Language and Education, 20*(3), 211-231.

Sheen, Y. et Ellis, R. (2011). Corrective feedback in language teaching. Dans E. Hinkel (dir.), *Handbook of research in second language teaching and learning,* Vol. 2 (p. 593-610). New York, NY : Routledge.

Shiffrin, R. M. et Schneider, W. (1977). Controlled and automatic human information processing: II. Perceptual learning, automatic attending, and a general theory. *Psychological Review, 84,* 127-190.

Sinclair, J. et Coulthard, R. M. (1975). *Towards an analysis of discourse: The English used by teachers and pupils.* Oxford, R.-U. : Oxford University Press.

Skehan, P. (1998). *A cognitive approach to language learning.* Oxford, R.-U. : Oxford University Press.

Stern, H. H. (1990). Analysis and experience as variables in second language pedagogy. Dans B. Harley, P. Allen, J. Cummins et M. Swain (dir.), *The development of second language proficiency* (p. 93-109). Cambridge, R.-U. : Cambridge University Press.

Swain, M. (1985). Communicative competence: Some roles of comprehensible input and comprehensible output in its development. Dans S. Gass et C. Madden (dir.), *Input in second language acquisition* (p. 235-253). Rowley, MA : Newbury House.

Swain, M. (1988). Manipulating and complementing content teaching to maximize second language learning. *TESL Canada Journal, 6,* 68-83.

Swain, M. et Lapkin, S. (1982). *Evaluating bilingual education in Ontario: A Canadian case study.* Clevedon, R.-U. : Multilingual Matters.

Swain, M. et Lapkin, S. (2013). A Vygotskian sociocultural perspective on immersion education: The L1/L2 debate. *Journal of Immersion and Content-Based Education*, *1*, 101-129.

Tarone, E. et Swain, M. (1995). A sociolinguistic perspective on second-language use in immersion classrooms. *The Modern Language Journal*, *79*, 166-178.

Thibault, P. (1991). La langue en mouvement : simplification, régularisation, restructuration. *LINX*, *25*, 79-92.

Tsayem Demaze, M. (2009). Le protocole de Kyoto, le clivage Nord-Sud et le défi du développement durable. *L'Espace géographique*, *38*(2), 139-156.

Tucker, R., Lambert, W. E. et Rigault, A. (1977). *The French speaker's skill with grammatical gender: An example of rule-governed behaviour*. Paris, France : Mouton.

Turnbull, M., Lapkin, S. et Hart, D. (2001). Grade 3 immersion students' performance in literacy and mathematics: Province-wide results from Ontario (1989-1999). *La Revue canadienne des langues vivantes*, *58*, 9-26.

Ungerer, T. (1958). *Crictor*. New York, NY : Harper Collins.

Ungerer, T. (1962). *The Three Robbers*. New York, NY : Phaidon.

Ungerer, T. (1967). *Moon man*. New York, NY : Phaidon.

Ungerer, T. (1968). *Les Trois Brigands*. Paris, France : L'École des loisirs.

Ungerer, T. (1978). *Crictor*. Paris, France : L'École des loisirs.

Ungerer, T. (1981). *Jean de la Lune*. Paris, France : L'École des loisirs.

Vincent, D. (1993, 2 septembre). Entre tu et vous. *Au fil des évènements*, p. 7, 10.

Weiner, S. L. et Goodenough, D. R. (1977). A move toward a psychology of conversation. Dans R. Freedle (dir.), *Discourse production and comprehension* (p. 213-225). Norwood, NJ : Ablex.

Wesche, M. et Skehan, P. (2002). Communicative, task-based, and content-based language instruction. Dans R. Kaplan (dir.), *The Oxford handbook of applied linguistics* (p. 207-228). Oxford, R.-U. : Oxford University Press.

White, L. (1991). Argument structure in second language acquisition. *Journal of French Language Studies*, *1*, 189-207.

Wong, J. et Waring, H. Z. (2009). 'Very good' as a teacher response. *ELT Journal*, *63*(3), 195-203.

Wood, D., Bruner, J. et Ross, G. (1976). The role of tutoring in problem solving. *Journal of Child Psychology and Psychiatry*, *17*, 89-100.

Wray, A. (2002). *Formulaic language and the lexicon*. Cambridge, R.-U. : Cambridge University Press.

Wright, R. (1996). A study of the acquisition of verbs of motion by Grade 4/5 early French immersion students. *La Revue canadienne des langues vivantes*, *53*, 257-280.

Annexes

Annexe A

Grille d'observation des stratégies de l'approche intégrée en immersion
(adaptée avec la permission de Fortune, 2000, 2014)

1. Le jumelage de la langue et du contenu L'enseignant ou l'enseignante…	Souvent	Parfois	Jamais
• Planifie ses leçons à partir d'objectifs disciplinaires, thématiques et linguistiques			
• Spécifie et affiche, pour chaque leçon ou unité, des objectifs disciplinaires et linguistiques			
• Sélectionne et aborde des traits linguistiques en lien avec la matière étudiée			
• Utilise des chansons, des poèmes, des récits, des vidéos ou tout autre support authentique pour intégrer la langue au contenu enseigné			
• Évalue, pour chaque leçon ou unité, les compétences linguistiques et disciplinaires ciblées			

2. Le développement et la précision de la langue L'enseignant ou l'enseignante…	Souvent	Parfois	Jamais
• Conçoit des séquences d'enseignement où la perception, la conscientisation et la pratique sont bien équilibrées			
• Souligne les erreurs de langue tant à l'oral qu'à l'écrit en utilisant différents types de rétroaction corrective			
• Donne une rétroaction adaptée aux objectifs linguistiques, au déroulement de la leçon et au niveau des élèves			
• Établit une distinction entre la forme et le sens Ex. : *J'aime cette idée. Comment pourrais-tu la formuler plus précisément ?*			
• Incite les élèves à l'autocorrection et à la correction par les pairs et s'assure qu'ils en prennent la responsabilité			

3. L'environnement d'apprentissage linguistiquement riche L'enseignant ou l'enseignante…	Souvent	Parfois	Jamais
• Crée une banque de mots variés à l'aide de différentes ressources et stratégies (textes, connaissances antérieures, formation des mots, etc.)			
• Affiche dans la classe et dans les corridors une variété de mots, de phrases et de textes reliés à l'unité			
• Invite des locuteurs natifs à participer aux leçons (par des présentations, des ateliers, etc.)			
• Assure la disponibilité d'une large gamme de lectures et de documents de référence			
• Fournit de bons modèles langagiers à l'oral et à l'écrit			

4. L'étayage axé sur la compréhension L'enseignant ou l'enseignante…	Souvent	Parfois	Jamais
• Rend les concepts enseignés plus accessibles grâce à des activités de prélecture et de pré-écriture			
• Vérifie la compréhension des élèves au moyen de questions ouvertes et d'activités de production			
• Adapte le matériel didactique au niveau des élèves			
• A recours à la redondance linguistique (autorépétition, paraphrase, synonymes, exemples, etc.) pour faciliter la compréhension de mots inconnus			
• Fournit un soutien non linguistique (langage corporel, documents visuels/multimédias, organisateurs graphiques, etc.)			
• Souligne les indices contextuels et les mots apparentés			
• Sollicite et réinvestit les connaissances antérieures des élèves			
• Établit des routines pour amener les élèves à utiliser des stratégies de compréhension de manière autonome			

5. L'étayage axé sur la production L'enseignant ou l'enseignante…	Souvent	Parfois	Jamais
• Emploie des techniques de questionnement qui encouragent les échanges prolongés et l'approfondissement de la réflexion			
• Utilise de manière efficace le temps d'attente lors des interactions en classe			
• Fournit des indices thématiques et linguistiques pour soutenir l'expression des idées			
• Propose des activités qui nécessitent une production soutenue, engageante et signifiante (jeux de rôle, simulations, débats, présentations, etc.)			
• Crée des occasions d'apprentissage entre pairs (travaux d'équipe ; démarche « penser-se réunir-partager » ; édition, correction, tutorat et évaluation par les pairs, etc.)			
• Modélise et communique des attentes claires en ce qui a trait à l'utilisation de la langue			
• Crée un environnement d'apprentissage accueillant			

6. La clarté du discours pédagogique L'enseignant ou l'enseignante…	Souvent	Parfois	Jamais
• Articule et énonce les mots clairement			
• Ralentit son débit et simplifie son langage quand il est nécessaire de s'adapter au niveau des élèves			
• Varie son intonation pour accentuer les éléments importants			
• Investit activement le vocabulaire et les constructions que les élèves connaissent déjà ou sont en train d'apprendre			
• Modélise un usage précis de la langue			

7. Différenciation L'enseignant ou l'enseignante…	Souvent	Parfois	Jamais
• Tient compte des antécédents et des intérêts de chaque élève			
• Planifie ses leçons en fonction d'une variété de styles d'apprentissage			
• Adapte son enseignement de façon à renforcer le traitement et l'expression de la langue chez tous les élèves			
• Encourage l'utilisation de stratégies d'apprentissage variées			
• Favorise la coconstruction de connaissances en groupe et l'apprentissage entre pairs			
• Effectue, en collaboration avec ses collègues, une évaluation adaptée aux capacités individuelles des élèves			
• Observe les progrès de chaque élève au fil du temps et modifie au besoin ses attentes			
• Communique clairement et régulièrement avec les parents ou tuteurs			

EXERCICE 4.1 Les types de rétroaction

1. Indice métalinguistique, sollicitation.
2. Reformulation.
3. Sollicitation, répétition de l'erreur.
4. Répétition de l'erreur.
5. Demande de clarification, correction explicite.
6. Répétition de l'erreur + indice métalinguistique.
7. Correction explicite.
8. Reformulation.

EXERCICE 4.2 La rétroaction adaptée au contexte

1. Incitation.
2. Reformulation.
3. Reformulation (en l'occurrence, une traduction).
4. Incitation.
5. Incitation.
6. Reformulation.

EXERCICE 4.3 La clarté de la rétroaction

Prof : *Qu'est-ce que c'est, un ruisseau, encore? Oui?*

Élève 1 : *C'est comme un petit lac.*

Prof : *Un petit lac, qu'on a dit?*

Élève 2 : *C'est* un petit rivière.

Prof : *C'est ça* . *C'est plus une petite rivière, OK?* **[Enlever l'approbation pour éliminer l'ambiguïté et utiliser une incitation, car l'erreur relève d'un choix binaire (un/une).]** *Parce qu'un lac, c'est comme un endroit où il y a de l'eau, mais c'est un...?*

Élèves : *Comme un cercle.*

Prof : *C'est* comme un cercle *[...]. Puis là, elle se retrouve près d'une forêt. Et qu'est-ce qu'ils font dans la forêt? William?*

Élève 3 : *Ils coupent des arbres.*

Prof : *Ils coupent des arbres.* **[Pour éviter de faire concurrence aux reformulations des énoncés comportant une erreur, utiliser moins souvent la répétition non corrective et passer tout de suite à la question de suivi.]** *Et quand on coupe des arbres et qu'on est en plein milieu de la forêt, est-ce qu'on peut amener un camion puis mettre le bois dedans? Qu'est-ce qu'on fait pour transporter le bois?*

(suite p. 168)

EXERCICE 4.3 La clarté de la rétroaction (suite)

Élève 4 : *Euh, tu mets le bois dans l'eau et les, euh, comment dis-tu, euh, carries ?*
Élèves : *Emporte.*
Prof : *Emporte, bien .*
Élève 4 : *Emporte le arbre au un place puis un autre personne qui met le bois.*
Prof : *C'est ça . Alors, on met le bois dans la rivière pour qu'il soit transporté d'un endroit à l'autre.* **[Enlever l'approbation pour éliminer l'ambiguïté. On peut aussi utiliser l'incitation pour corriger une erreur dans l'énoncé de l'élève avant de le reformuler.]**
 [...] Alors là, Perlette [une goutte d'eau] décide de demander au soleil de venir la réchauffer. Pourquoi pensez-vous qu'elle veut se faire réchauffer ? Oui ?
Élève 5 : *Parce qu'elle est trop froid.*
Prof : *Parce qu'elle a froid, OK .* **[Utiliser l'incitation pour obtenir la bonne réponse, car l'erreur relève d'un choix binaire (*être/ avoir*). Cela risque également de prévenir l'erreur suivante (*Elle est trop peur*).]** *Oui ?*
Élève 6 : *Elle est trop peur.*
Prof : *Parce qu'elle a peur, oui .*

EXERCICE 4.4 Des incitations infructueuses

Élève : *Oui, mais la maison que mes grands-parents vivent en dedans, c'est avec les briques.*
Prof : *OK. « La maison que mes grands-parents vivent en dedans », ça ne se dit pas comme ça en français. Comment tu vas dire ça ?* **[L'incitation n'est pas assez précise : elle devrait isoler l'élément fautif. De plus, l'erreur nécessite une analyse syntaxique complexe qui excède les connaissances d'un élève de 4ᵉ année.]**
Élève : *Euh...*
Prof : *S'ils y vivent, est-ce qu'ils sont en dedans ?* **[Il s'agit d'une question fermée qui ne favorise pas la réflexion de l'élève.]**
Élève : *Oui.*
Prof : *Alors, c'est pas nécessaire de dire « en dedans ». La maison où mes grands-parents vivent. Hein ? Dans laquelle mes grands-parents vivent. Très bien.*

Gabarit d'une séquence d'enseignement proactive

Objectifs disciplinaires ou thématiques

_____

_____

Objectifs linguistiques

_____

_____

Perception

Conscientisation

Pratique guidée

Pratique autonome

Études mettant à l'épreuve l'approche intégrée proactive

Chercheur(s)	Niveau	Objectifs linguistiques	Durée de l'intervention	Tests	Posttest immédiat	Posttest différé
Harley (1989)	6ᵉ année	Les temps du passé	12 heures sur 8 semaines	Production écrite	=	=
				Production orale	+	=
				Texte à trous	+	=
Day et Shapson (1991)	7ᵉ année	Le conditionnel	17 heures sur 6 semaines	Production écrite	+	+
				Production orale	=	=
				Texte à trous	+	+
Lyster (1994)	8ᵉ année	Les pronoms d'adresse	12 heures sur 5 semaines	Production écrite	+	+
				Choix multiples	+	+
				Production orale	+	+
Wright (1996)	4ᵉ et 5ᵉ année	Les verbes de mouvement	15 heures sur 3 semaines	Production écrite	+	+
				Production orale	+	+
Harley (1998)	2ᵉ année	Le genre grammatical	8 heures sur 5 semaines	Choix binaire (m. ou f.)	+	+
				Activité d'écoute	+	+
				Identification d'objets	=	=
				Description d'illustrations	+	+
Lyster (2004)	5ᵉ année	Le genre grammatical	9 heures sur 5 semaines	Choix binaire (m. ou f.)	+	+
				Texte à trous	+	+
				Identification d'objets	+	+
				Description d'illustrations	+	+
Lyster et coll. (2013)	2ᵉ année	La dérivation lexicale	9 heures sur 6 semaines	Dérivation en français	+	s.o.
				Dérivation en anglais	=	s.o.

+ Résultats supérieurs à ceux du groupe témoin
= Résultats équivalents à ceux du groupe témoin
s.o. Sans objet

Classification des terminaisons selon le genre

F = féminin **M** = masculin **A** = ambigu	**F / M** = féminin et masculin (*un/ une élève*)	**C** = consonne **V** = voyelle

TABLEAU 1 Terminaisons majoritairement masculines en son de voyelle

Son final	Terminaisons	Nombre de noms				Pourcentage
		F	**M**	**F/M**	**Total**	
[ã]	M (*volcan*) : -amp, -an, -anc, -and, -ang, -ant, -aon, -emps, -ent	4	670	1	675	99 %
[o]	M (*rideau*) : -au, -aud, -aut, -eau, -o, -oc, -op, -os, -ot, -ow	15	288	6	309	93 %
	A (*chaux, taux*) : -aux	2	1	0	3	–
[ɛ̃]	M (*patin*) : -aim, -in, -ing, -int, -um, -un, -unt	4	239	0	243	98 %
[ɛ]	F (*haie*) : -aie	16	0	0	16	100 %
	M (*délai*) : -ai, -ais, -ait, -ès, -et, -ect, -ey	0	221	0	221	100 %
	A (*forêt, genêt*) : -êt	1	1	0	2	–
[u]	F (*boue*) : -oue	8	0	0	8	100 %
	M (*bijou*) : -ou, -oup, -oût, -out, -oux	1	59	0	60	98 %
[ø]	F (*banlieue*) : -eue	3	0	0	3	100 %
	M (*feu*) : -eu, -eud, -eux, -œu	0	21	0	21	100 %

TABLEAU 2 Terminaisons des deux genres en son de voyelle

Son final	Terminaisons	Nombre de noms				Pourcentage
		F	**M**	**F/M**	**Total**	
[õ]	F (*station*) : -ion	721	15	0	736	98 %
	M (*pont*) : -om, -omb, -on (pas après *s/ç*), -onc, -ond, -ong, -ont	2	255	0	257	99 %
	A (*glaçon, leçon*) : -çon, -son	33	35	0	68	–
[e]	F (*qualité*) : -ée, -ié, -té	465	24	2	491	95 %
	M (*plancher*) : -é après C (C ≠ t), -ed, -er	2	495	0	497	99,6 %
	A (*allié, pitié*) : -ié	4	9	0	13	–
[i]	F (*scie*) : -ie	352	6	0	358	98 %
	M (*défi*) : -i, -il, -is, -it, -ix, -y(s)	4	160	1	165	97 %
[a]	F (*soie*) : -oie	8	1	0	9	89 %
	M (*drap, bois*) : -ac, -ap, -as, -at, -oid(s), -ois, -oit	1	134	0	135	99 %
	A (*caméra, opéra*) : -a, -ia, -oi, -oix	30	83	2	115	–
[y]	F (*rue*) : -ue	31	0	0	31	100 %
	M (*tissu*) : -u, -us, -ut, -ux	4	60	0	64	94 %

TABLEAU 3   **Terminaisons majoritairement féminines avec son de consonne**

Son final	Terminaisons	Nombre de noms				Pourcentage
		F	M	F/M	Total	
[s]	F (*classe*): -ace, -aisse, -ance, -anse, -asse, -èce, -ence, -esse, -ice, -ince, -isse, -once, -ource, -ourse, -ousse, -uce	451	30	3	484	93%
	M (*atlas*): -as, -ès, -ess, -ex, -ils, -inx, -is, -os, -us, -ynx, -yx	1	76	0	77	99%
	A (*divorce, force*): -arce, -arse, -axe, -erce, -erse, -exe, -ipse, -ixe, -orce, -orse, -oxe, -ypse	21	15	1	37	–
[n]	F (*antenne*): -aine, -anne, -eine, -enne, -erne, -ine, -onne, -une, -urne	243	7	6	256	94%
	M (*pollen*): -en	0	9	0	9	100%
	A (*butane, tisane*): -ane, -ène, -oine, -one	36	39	8	83	–
[d]	F (*viande*): -ade, -ande, -arde, -aude, -ende, -onde, -orde, -ourde, -ude	173	6	4	183	95%
	A (*code, méthode*): -ède, -ide, -ode	14	14	19	47	–
[z]	F (*perceuse*): -ase, -aise, -ause, -èse, -euse, -ise, -oise, -ouse, -ose, -use, -yse	229	5	1	235	97%
	A (*topaze, trapèze*): -aze, -èze	2	2	0	4	–
[ʃ]	F (*moustache*): -ache, -âche, -anche, -arche, -auche, -èche, -êche, -enche, -erche, -iche, -oche, -ouche, -orche, -uche, -ûche	92	6	4	102	90%
	M (*flash*): -ash	0	3	0	3	100%
[v]	F (*cave*): -alve, -ave, -erve, -ève, -ive, -ouve	51	2	4	57	90%
	A (*fleuve, preuve*): -auve, -euve, -êve, -uve	6	5	0	11	–

TABLEAU 4   Terminaisons majoritairement masculines avec son de consonne

Son final	Terminaisons	Nombre de noms				Pourcentage
		F	M	F/M	Total	
[ʒ]	M (*fromage*) : -age, -ège	6	237	2	245	97%
	A (*change, grange*) : -ange, -eige, -erge, -ige, -inge, -oge, -onge, -orge, -uge après V	30	26	2	58	–
[m]	M (*tourisme*) : -am, -asme, -aume, -em, -ème, -ilm, -isme, -ome, -ôme, -um, -yme, -ysme	3	156	4	163	96%
	A (*légume, plume*) : -alme, -ame, -amme, -arme, -emme, -erme, -ime, -irme, -omme, -orme, -ume	43	40	3	86	–
[f]	M (*motif*) : -ef, -euf, -if	1	50	1	52	96%
	A (*autographe, paragraphe*) : -afe, -aphe, -iffe, -ophe	9	6	4	19	–
[ŋ]	M (*camping*) : -ing	0	7	0	7	100%

TABLEAU 5   Terminaisons fréquentes des deux genres avec son de consonne

Son final	Terminaisons	Nombre de noms				Pourcentage
		F	M	F/M	Total	
[R]	F (*lumière*) : -eure, -ière, -ure	290	10	2	302	96%
	M (*éclair*) : -air, -ar, -arc, -ars, -aure, -art, -er, -erf, -ert, -eur (si animé), -ir, -oir, -or, -ord, -ors, -ort, -our, -ourd, -ours, -ur	12	556	4	572	97%
	A (*critère, sphère*) : -are, -ère, -eur (si inanimé), -ire, -oire, -ore, -re après V(C)C, -yère, -yre	210	364	59	633	–
[t]	F (*dette*) : -aite, -ante, -arte, -atte, -aute, -ente, -erte, -ête, -ète, -ette, -eute, -inte, -oite, -onte, -oute, -orte, -otte, -utte	375	10	8	393	95%
	M (*granit*) : -act, -est, -ict, -it, -ompte, -omte, -out, -ut	0	26	0	26	100%
	A (*date, nitrate*) : -acte, -alte, -aste, -ate, -ecte, -epte, -este, -ipte, -iste, -ite, -olte, -oste, -ote, -ouste, -ulte, -ute, -ypte, -yste	99	47	114	260	–
[l]	F (*salle*) : -alle, -elle, -ille, -olle, -ulle, -ylle	93	6	2	101	92%
	M (*festival*) : -al, -all, -el, -eul, -il, -ol, -ul	1	160	0	161	99%
	A (*céréale, scandale*) : -ale, -èle, -êle, -ile, -le après V(C)C (C≠l), -ole, -ule après V	151	125	23	299	–
[k]	M (*lac*) : -ac, -ak, -ec, -ic, -oc, -ock, -uc	0	51	0	51	100%
	A (*clinique, portique*) : -anque, -aque, -arque, -asque, -èque, -esque, -ique, -isque, -oque, -orque, -uque	85	43	2	130	–
[j]	F (*famille*) : -aille, -aye, -eille, -ille, -ouille	93	6	1	100	93%
	M (*travail*) : -ail, -eil, -euil, -ueil	0	43	0	43	100%

TABLEAU 6 **Terminaisons peu fréquentes des deux genres avec son de consonne**

Son final	Terminaisons	Nombre de noms				Pourcentage
		F	M	F/M	Total	
[p]	F (*nappe*) : *-ampe, -appe, -arpe, -empe, -ompe, -oppe*	18	1	0	19	95%
	M (*cap*) : *-ap, -op*	0	5	0	5	100%
	A (*coupe, groupe*) : *-ape, -âpe, -èpe, -êpe, -ipe, -ope, -oupe, -upe, -ype*	24	17	1	42	–
[g]	F (*bague*) : *-ague, -angue, -igue, -ingue, -ugue* après V	19	0	1	20	95%
	M (*boomerang*) : *-ang, -ong*	0	4	0	4	100%
	A (*catalogue, synagogue*) : *-ègue, -ogue, -orgue*	5	8	17	30	–
[b]	F (*barbe*) : *-arbe, -ombe, -ourbe*	10	0	0	10	100%
	M (*tube*) : *-ub, -ube*	0	4	0	4	100%
	A (*globe, robe*) : *-abe, -erbe, -obe*	4	8	0	12	–
[ɲ]	A (*signe, vigne*) : *-agne, -aigne, -argne, -eigne, -igne, -ogne, -ygne*	18	8	0	26	–

Projet collaboratif pour étayer la bilittératie

1. Identifiez un contenu thématique ou disciplinaire que vous pourriez aborder avec un ou une collègue enseignant au même groupe que vous, mais en anglais.

2. Concevez deux activités différentes sur le même contenu que vous pourriez faire de manière interdépendante, dans chacune des langues. La première activité se déroule dans une classe, et la deuxième dans l'autre classe.

Enseignant(e)s :
_____

Contenu disciplinaire ou thématique

Activité 1	**Activité 2**
Langue : _____	Langue : _____